ESTATE PUBLIC

EAST SUSSEX

Street maps with index
Administrative Districts
Population Gazetteer
Road Map with index
Postcode Districts

COUNTY RED BOOKS

This atlas is intended for those requiring street maps of the historical and commercial centres of towns within the county. Each locality is normally presented on one or two pages and although, with many small towns, this space is sufficient to portray the whole urban area, the maps of large towns and cities are for centres only and are not intended to be comprehensive. Such coverage is offered in the Super and Local Red Book (see page 2).

Every effort·has been made to verify the accuracy of information in this book but the publishers cannot accept responsibility for expense or loss caused by any error or omission. Information that will be of assistance to the user of the maps will be welcomed.

The representation of a road, track or footpath on the maps in this atlas is no evidence of the existence of a right of way.

Street plans prepared and published by ESTATE PUBLICATIONS, Bridewell House, TENTERDEN, KENT, and based upon the ORDNANCE SURVEY mapping with the permission of The Controller of H. M. Stationery Office.

The publishers acknowledge the co-operation of the local authorities of towns represented in this atlas.

COUNTY RED BOOK
EAST SUSSEX

contains street maps for each town centre

SUPER & LOCAL RED BOOKS

are street atlases with comprehensive local coverage

BRIGHTON

including: Hove, Lewes, Newhaven, Portslade,
Seaford, Shoreham etc.

HASTINGS & BEXHILL

including: Rye, Battle, Winchelsea, Camber,
Fairlight, St. Leonards etc.

EASTBOURNE

including: Lewes, Hailsham, Bexhill, Seaford,
Cooden, Polegate, Pevensey etc.

WEALDEN TOWNS

including: Crowborough, Forest Row, Heathfield,
Uckfield, Wadhurst etc.

CONTENTS

Scale of street plans: 4 inches to 1 mile (unless otherwise stated on map)

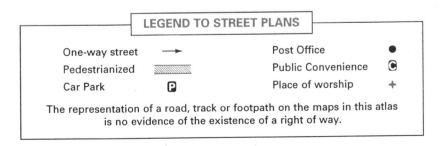

LEGEND TO STREET PLANS

One-way street	→	Post Office	●
Pedestrianized		Public Convenience	Ⓒ
Car Park	Ⓟ	Place of worship	+

The representation of a road, track or footpath on the maps in this atlas
is no evidence of the existence of a right of way.

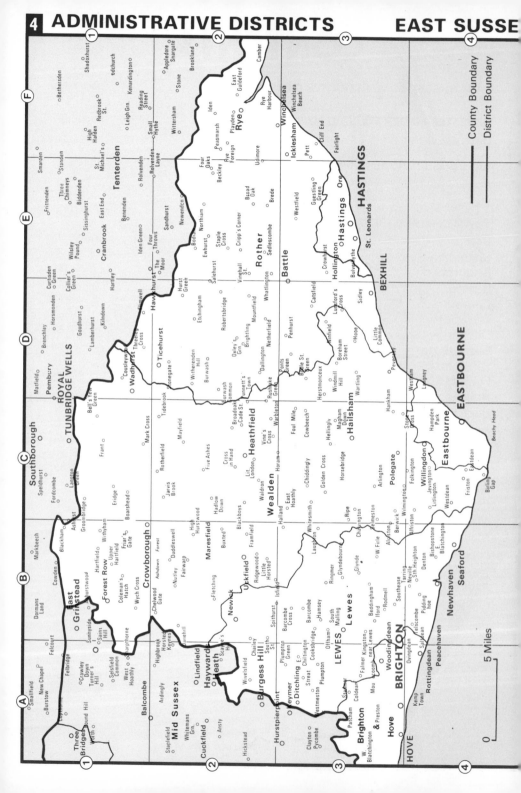

County Boundary
District Boundary

5 Miles

TENTERDEN
RYE
HASTINGS
BEXHILL
HOLLINGTON
HASTINGS
ROTHER
BATTLE
EASTBOURNE
ROYAL TUNBRIDGE WELLS
SOUTHBOROUGH
WADHURST
HAWKHURST
TICEHURST
HEATHFIELD
WEALDEN
CROWBOROUGH
MARESFIELD
POLEGATE
WILLINGDON
EASTBOURNE
SEAFORD
NEWHAVEN
WOODINGDEAN
BRIGHTON
HOVE
LEWES
NEWICK
UCKFIELD
HAYWARDS HEATH
LINDFIELD
BURGESS HILL
DITCHING
HURSTPIERPOINT
MID SUSSEX
FOREST ROW
EAST GRINSTEAD

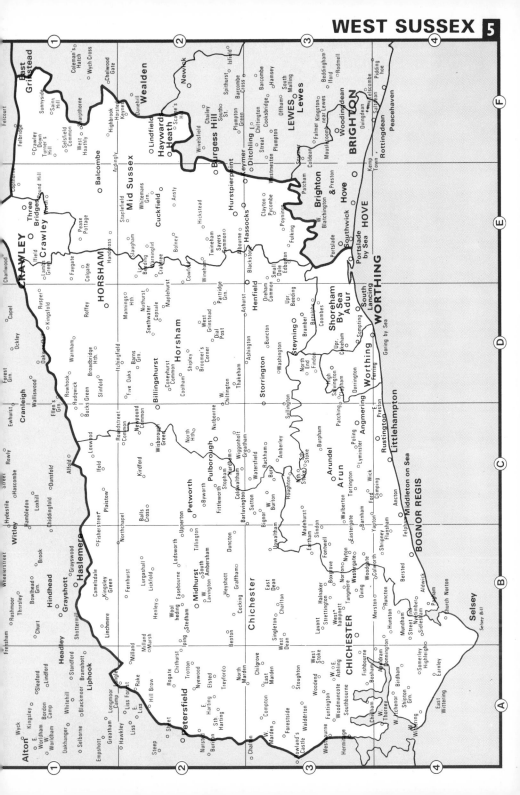

GAZETTEER INDEX TO ROAD MAP
with Populations
County of East Sussex population **690,447**

Districts:

Brighton	**143,582**		
Eastbourne	**81,395**		
Hastings	**80,820**		
Hove	**85,364**		
Lewes	**87,389**		
Rother	**81,683**		
Wealden	**130,214**		

Alciston **121**	9 E6
Alfriston **761**	9 E7
Arlington **533**	9 E6
Ashburnham **329**	*
Ashurstwood	8 C2
Barcombe **1,353**	9 C5
Barcombe Cross	9 C5
Battle **5,732**	11 B5
Beckley **1,025**	10 D4
Beddingham **230**	9 D6
Bell's Yew Green	8 F6
Berwick **232**	9 E6
Bevendean	9 B6
Bexhill-on-Sea. **35,222**	11 B6
Birling Gap	9 E8
Bishopstone	9 D7
Blackboys	8 E4
Blackham	8 E1
Boarshead	8 E2
Bodiam **346**	10 C3
Bodle Street Green	11 A5
Boreham Street	11 A6
Brede **1,764**	10 D4
Brightling **367**	10 A4
Brighton **88,667**	9 B7
Broad Oak	10 D4
Broadoak	8 F4
Bulverhythe	11 C6
Burwash **2,506**	10 A4
Burwash Common	10 A4
Buxted **3,071**	8 E4
Cade Street	8 F4
Camber **1,108**	10 F4
Catsfield **767**	11 B5
Chailey **2,548**	8 C4
Chalvington with Ripe **785**	9 E6
Chelwood Gate	8 C3
Chiddingly **866**	9 E5
Cliff End	11 E5
Coldean	9 B6
Coleman's Hatch	8 D2
Cooden	11 B6
Cooksbridge	9 C5
Cousley Wood	10 A2
Cowbeech	11 A5
Cripp's Corner	10 C4
Cross in Hand	8 F4
Crowborough **19,120**	8 E3
Crowhurst **896**	11 C5
Cuckmere Valley **213**	*

Dallington **319**	10 A4
Danehill **1,879**	8 C3
Denton	9 D7
Ditchling **1,882**	9 B5
Duddleswell	8 D3
East Blatchington	9 D7
East Chiltington **302**	9 C5
East Dean **1,725**	9 F8
East Guldeford **60**	10 F4
East Hoathly **1,206**	9 E5
Eastbourne **60,674**	11 A7
Eastdean & Friston **1,662**	9 F8
Eridge Green	8 F2
Etchingham **738**	10 B3
Ewhurst **1,004**	10 C4
Fairlight **1,605**	11 D5
Fairlight Cove	11 E6
Fairwarp	8 D3
Falmer **184**	9 B6
Firle **303**	9 D6
Five Ashes	8 E3
Fletching **977**	8 C4
Flimwell	10 B3
Folkington	9 F7
Forest Row **4,762**	8 C2
Foul Mile	9 F5
Four Oaks	10 D4
Framfield **1,773**	8 E4
Frant **1,445**	8 F2
Friar's Gate	8 D2
Friston & East Dean **1,662**	9 E7
Glynde **204**	9 D6
Glyndebourne	9 D6
Golden Cross	9 E5
Groombridge	8 E2
Guestling Green **1,431**	11 D5
Hadlow Down **648**	8 E4
Hailsham **17,938**	9 F6
Halland	9 E5
Hampden Park **7,954**	9 F7
Hamsey **534**	9 C5
Hankham	9 F6
Hartfield **2,026**	8 D2
Hastings **63,976**	11 D6
Heathfield & Waldron **10,676**	8 F4
Hellingly **1,526**	9 F5
Herstmonceux **2,334**	11 A5
High Hurstwood	8 E3
Hollington **5,977**	11 C5
Hooe **376**	11 B6
Horam **2,393**	9 F5
Horsebridge	9 F5
Hove **67,602**	9 A6
Hurst Green **1,417**	10 B3
Icklesham **2,443**	11 D5
Iden **499**	10 E4
Iford **195**	9 C6
Isfield **535**	*

Jarvis Brook	8 E3	Rye Harbour	10 E4
Jevington & Willingdon **5,846**	9 F7		
		St Ann (Without) **278**	*
Kemp Town	9 B7	St John (Without) **45**	*
Kingston near Lewes **616**	9 C6	St Leonards **10,867**	11 C6
		Salehurst **2,211**	10 C4
Langney **12,867**	11 A7	Saltdean	9 C7
Laughton **516**	9 E5	Seaford **20,933**	9 D7
Lewes **15,376**	9 C6	Sedlescombe **1,299**	10 C4
Litlington	9 E7	Sedlescombe Street	10 C4
Little Common	11 B6	Selmeston **171**	9 E6
Little Horsted **210**	9 E5	Shortgate	9 D5
Little London	8 F4	Sidley **5,330**	11 B6
Long Man **377**	*	South Heighton **998**	9 D7
Lunsford's Cross	11 B6	South Malling	9 C5
		South Street	9 C5
Magham Down	9 F5	Southease **29**	9 C6
Maresfield **3,095**	8 D4	Southwick	9 A6
Mark Cross	8 F3	Spithurst	8 D5
Mayfield **3,515**	8 F3	Stanmer **7,933**	9 B6
Millcorner	10 D4	Staple Cross	10 C4
Moulsecoomb **9,749**	9 B6	Stone Cross	9 F7
Mountfield **475**	10 B4	Stonegate	10 A3
		Streat **170**	9 B5
Netherfield	10 B4		
Newhaven **10,210**	9 D7	Tarring Neville **22**	9 D6
Newick **2,445**	8 C4	Telscombe **6,808**	9 C7
Ninfield **1,448**	11 B5	Three Leg Cros	10 B3
Northiam **1,810**	10 D3	Ticehurst **3,118**	10 B3
Nutley	8 D3	Tidebrook	8 F3
Offham	9 C5	Uckfield. **12,087**	8 D4
Ovingdean	9 B7	Udimore **336**	10 D4
Oxley's Grn	10 B4	Upper Dicker	9 E6
		Upper Hartfield	8 D2
Patcham **8,762**	9 B6		
Peacehaven **12,992**	9 C7	Vinehall Street	10 C4
Peasmarsh **911**	10 E4	Vine's Cross	8 F4
Penshurst **36**	11 B5		
Pestalozzi	11 C5	Wadhurst **4,499**	10 A2
Pett **706**	11 D5	Waldron & Heathfield	
Pevensey **2,833**	11 A6	**10,676**	8 E4
Pevensey Bay	11 A7	Warbleton **1,217**	9 F5
Piddinghoe **230**	9 C7	Wartling **347**	11 A6
Playden **323**	10 E4	West Blatchington	9 A6
Plumpton **1,404**	10 E4	Westdean	9 E7
Polegate **7,606**	9 F6	Westfield **2,461**	11 D5
Ponts Green	11 A5	Westham **2,980**	11 A7
Portslade	9 A6	Westmeston **333**	9 B5
Portslade-by-Sea **17,762**	9 A7	Whatlington **332**	9 B5
Preston **9,740**	9 B6	Whitesmith	9 E5
Punnett's Town	10 A4	Willingdon & Jevington	
		5,846	9 F7
Ridgewood	8 D4	Winchelsea **2,413**	11 E5
Ringmer **4,456**	9 D5	Winchelsea Beach	11 E5
Ripe & Chalvington **785**	9 E6	Windmill Hill	11 A5
Robertsbridge	10 B4	Witherenden Hill	10 A3
Rodmell **413**	9 C6	Withyham **2,510**	8 E2
Rotherfield **3,096**	8 F3	Wivelsfield **1,896**	8 B4
Rottingdean **8,949**	9 B7	Wivelsfield Green	8 B4
Rushlake Green	10 A4	Woodingdean **9,782**	9 C6
Rye **4,207**	10 E4	Wych Cross	8 C3
Rye Foreign **197**	10 E4		

tPopulation figures are based upon the 1991 census and relate to the local authority area or parish as constituted at that date. Places with no population figure form part of a larger local authority area or parish. District boundaries are shown on pages 4-5.
Population figures in bold type.   *Parish not shown on map pages 8-11 due to limitation of scale.

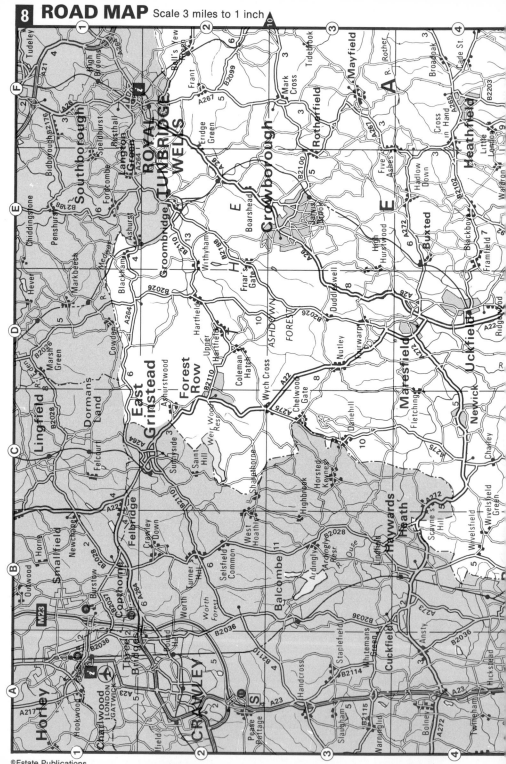

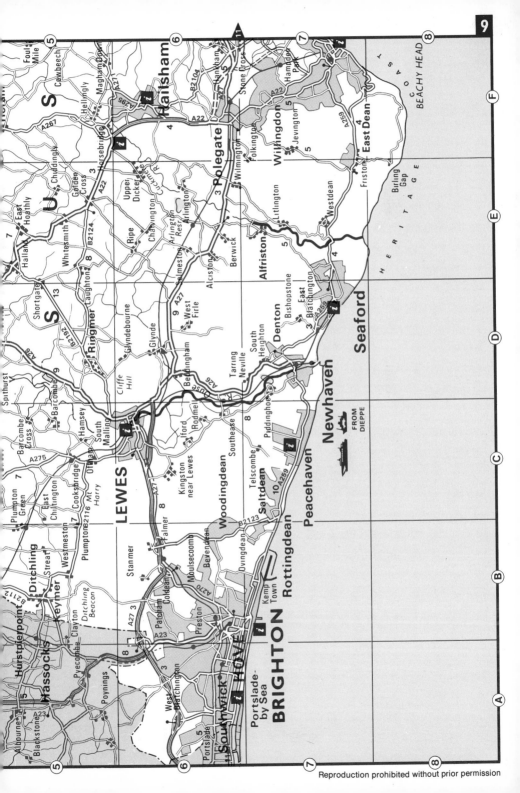

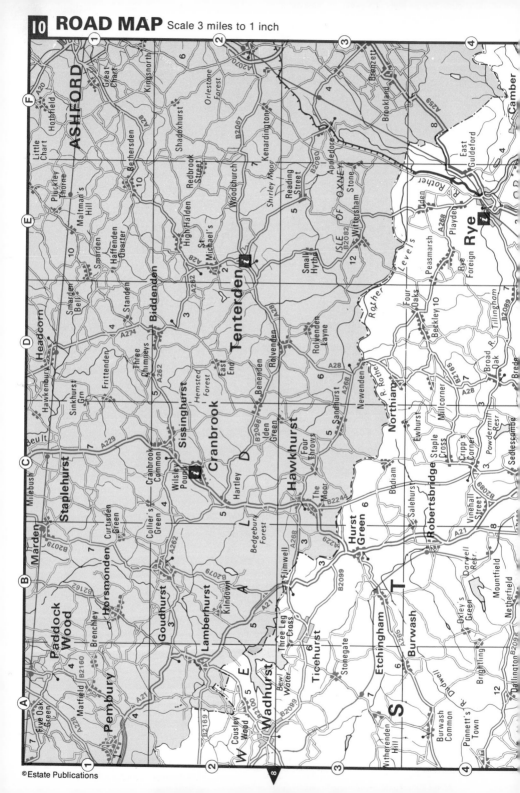

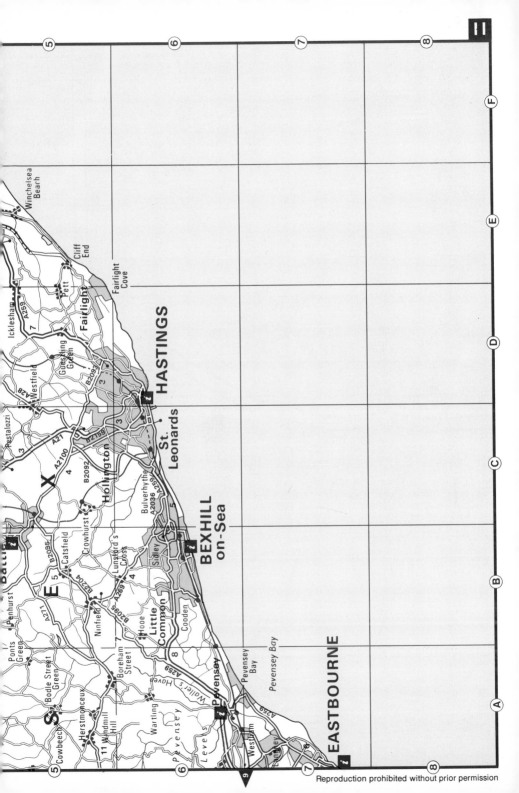

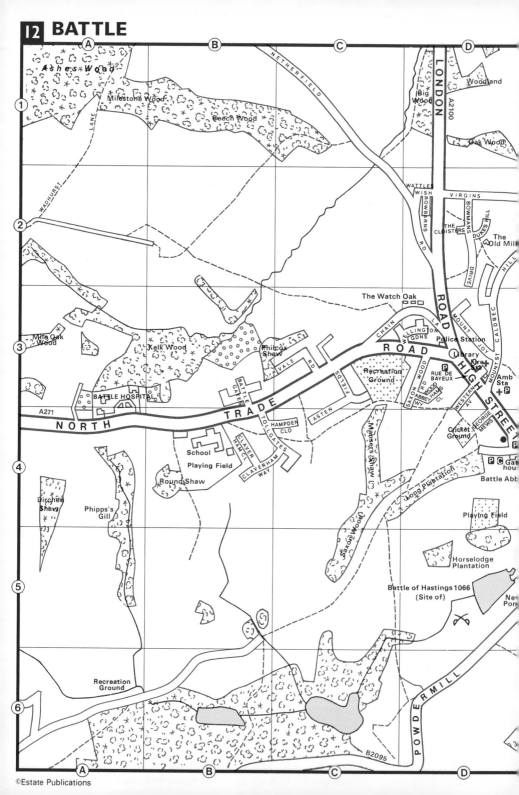

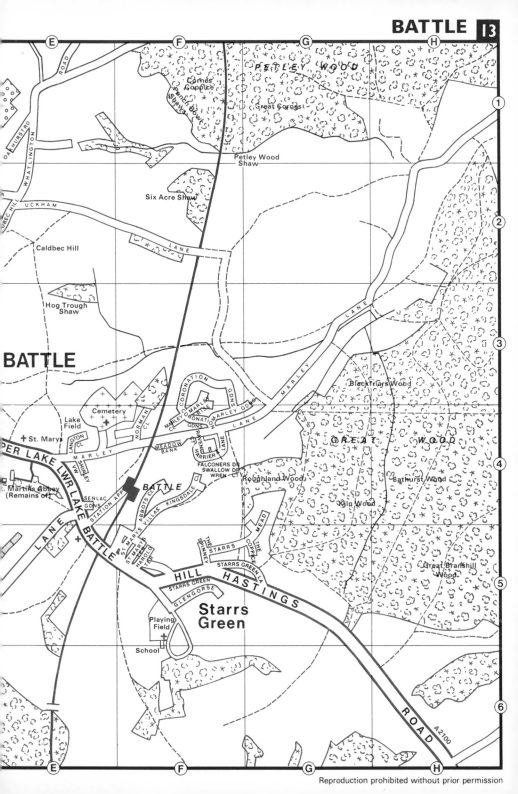

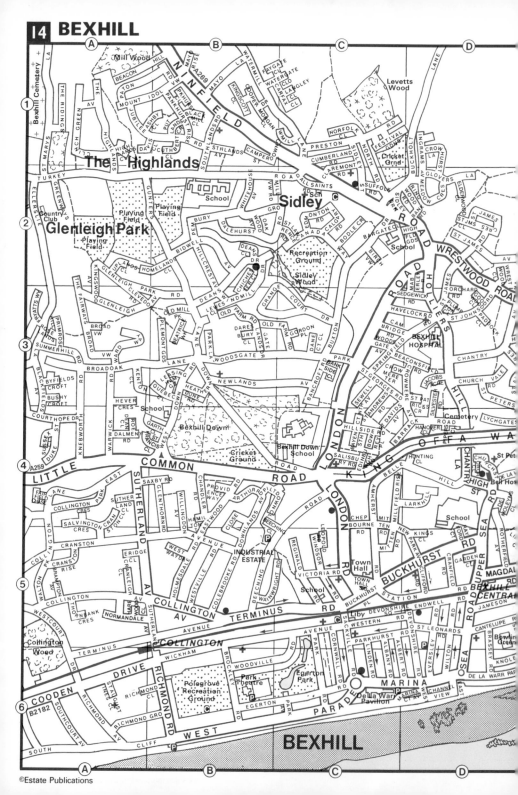

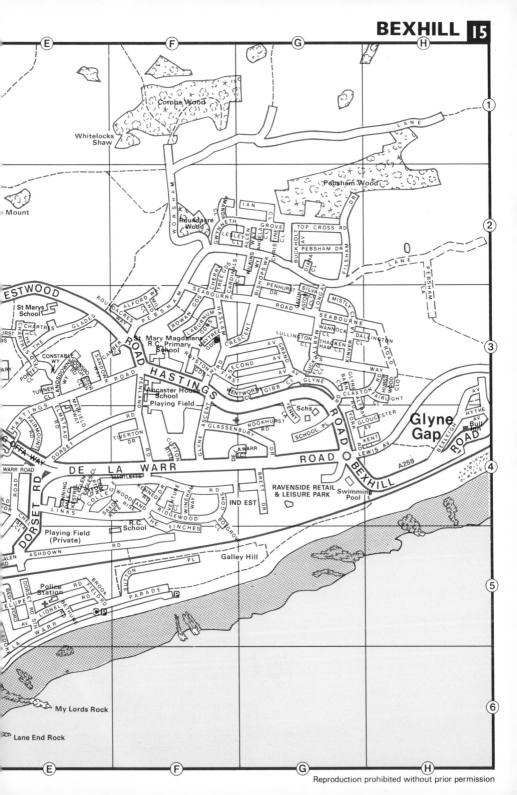

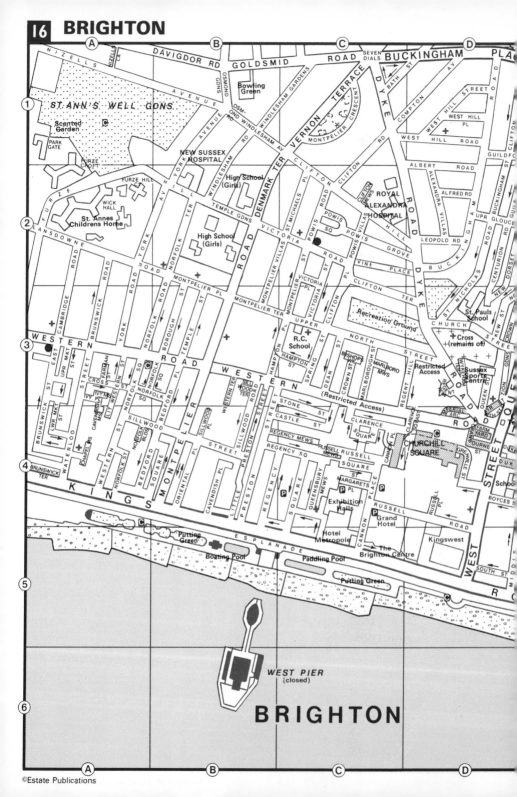

BRIGHTON

WEST PIER
(closed)

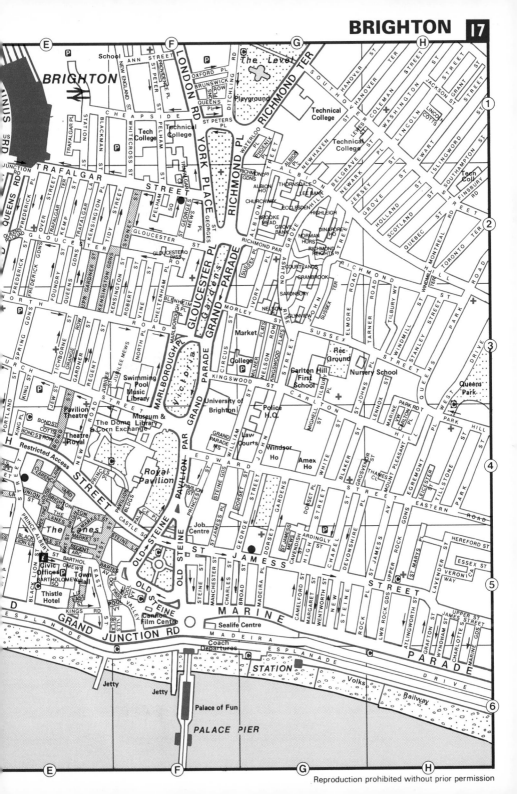

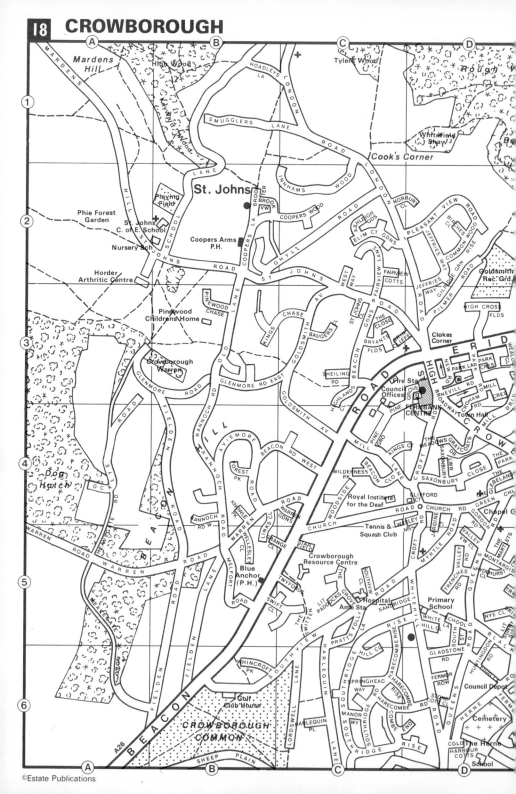

Mardens Hill
High Wood
Tyler's Wood
Rough
Whitefield Shaw
Cook's Corner
Hoadleys La
Smugglers Lane
London Road
Innhams Wood
St. Johns
Playing Field
Coopers Wood
Norbur CL
Pleasant View
Phie Forest Garden
St. Johns C. of E. School
Nursery Sch.
Coopers Arms P.H.
A.SLEIGH GDS
ELIM CT GDNS
FAIRVIEW COTTS
BIRCHES
COMMON WOOD
JEFFRIES WAY
Goldsmith Rec. Grd
Horder Arthritic Centre
St Johns Road
WEST WAY
FAIRVIEW LANE
JEFFRIES WAY
GLADUE GRN
PILMER RD
HIGH CROSS FLDS
Pinewood Childrens Home
PINEWOOD CHASE
KINGS CHASE
GOLDSMITH AV
BADGERS
St Johns GDNS
THE CLOSE
BRYANTS FLDS
CLIFFE
Clokes Corner
ERID
Crowborough Warren
Glenmore Rd East
OLD LANE
GLENMORE ROAD
SHEILING RD
BEACON RD
HIGHLANDS
GROVE
PARK LA
PARK CRES
WEAL
Fire Sta
Council Offices
FERNBANK CENTRE
BRNEVILL RD
CROHAM RD
MILL
CRE
Dog Hatch
FIELDEN ROAD
BEACON ROAD
RANNOCH ROAD
AVIEMORE
BEACON RD WEST
FOREST PK
WARREN GDNS
KNOWLE
WELLESLEY CL
MELFORT ROAD
LINKS CL
GRANGE CL
ROAD WARREN
WOODSIDE
WILDERNESS PK
BEACON CLOSE
MILL LANE
Royal Institute for the Deaf
CHURCH ROAD
CLIFFORD ROAD
KINGS CT
SAXONBURY
CROFT
SAXONBURY LWR
GRAYCOATS
THE MEADOWS
THE PARK
CLOSE
THE GLEBELANDS
GREEN
GORDON RD
Chapel G
Dog Hatch
WARREN ROAD
KANNOCH RD W
STAR HILL
THE WITTEN
Blue Anchor (P.H.)
SWIFT CL
TWYFORD
Crowborough Resource Centre
Tennis & Squash Club
WESLEY CL
J DRNE
MYRTLE RD
CHURCH ROAD
CROFT RD
WHITEHILL ROAD
VALLEY RD
TRENCHES VALLEY RD
HYDEHURST
THE MONTARGIS
THE MARTLETS
LIT PADDOCKS
SOUTHW CL
Hospital
Amb Sta
SANDRIDGE
RISE
WHITE LA
Primary School
SOUTH HILL RD
NYE CR
WHINCROFT PK
PRATTS FOLLY LA
SOUTHVIEW LANE
HARLEQUIN LANE
SPRINGHEAD WAY
HARECOMBE RISE
SOUTHRIDGE RD
GLADSTONE RD
FERMOR ROW
Council Depot
Golf Club House
A26
BEACON ROAD
FIELDEN LANE
LORDSWELL LANE
HARLEQUIN PL
MANOR WY
SOUTHRIDGE RISE
HARECOMBE RISE
HARECOMBE END
STONE CL
QUEENS ROAD
HERNE
Cemetery
The Herne
HARBOUR COTTS
School
COLD
CROWBOROUGH COMMON
SHEEP PLAIN

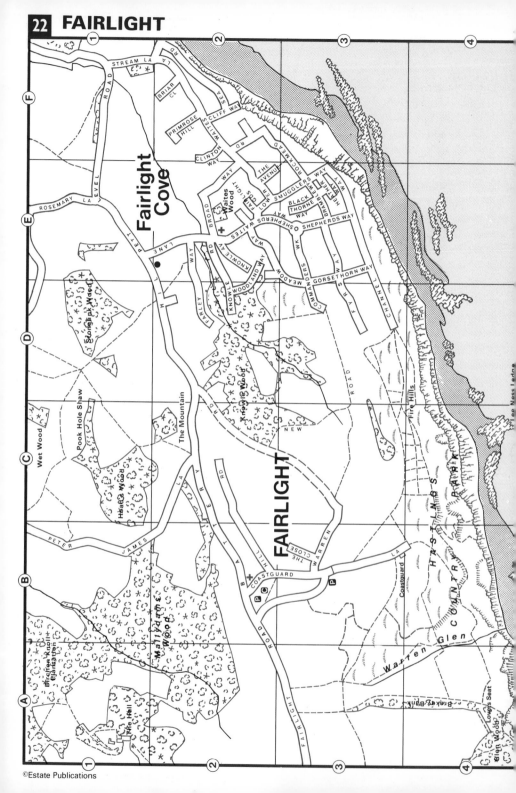

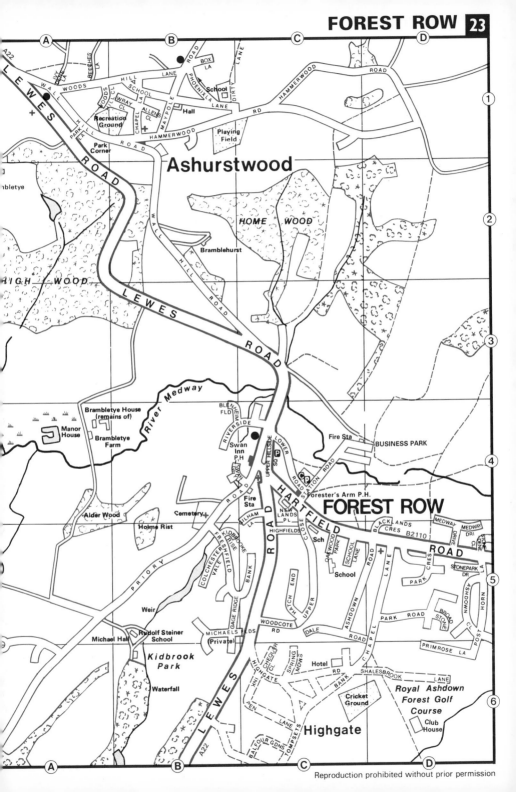

Ashurstwood

FOREST ROW

Highgate

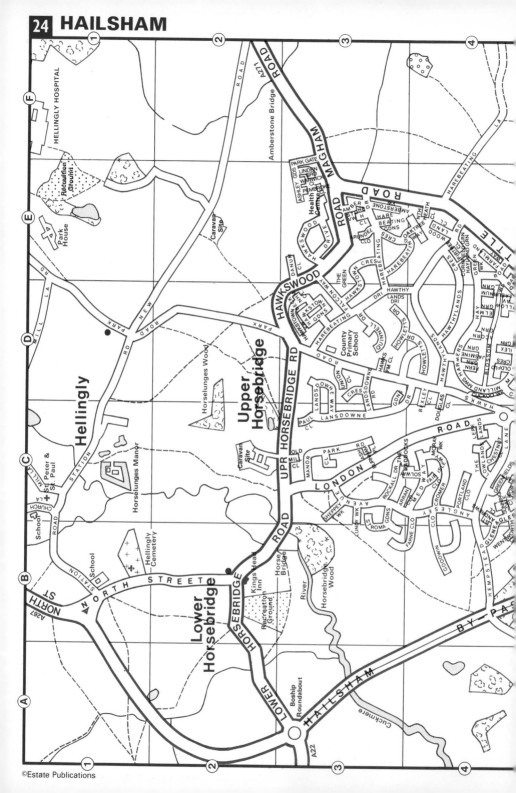

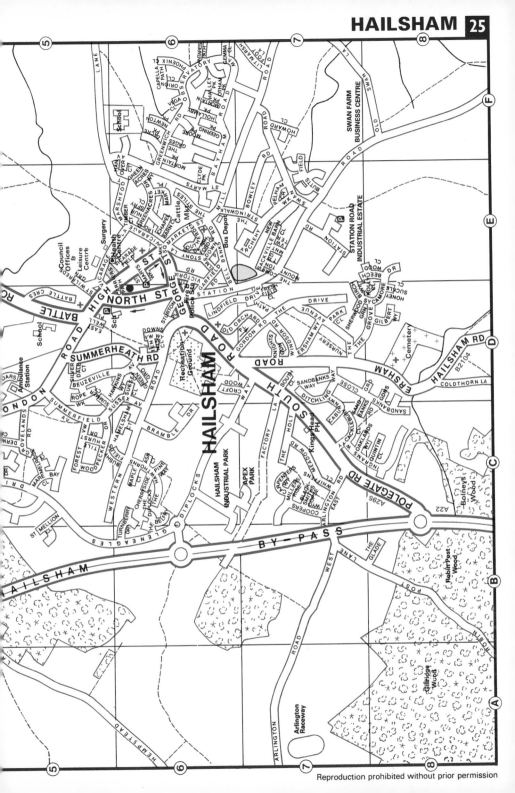

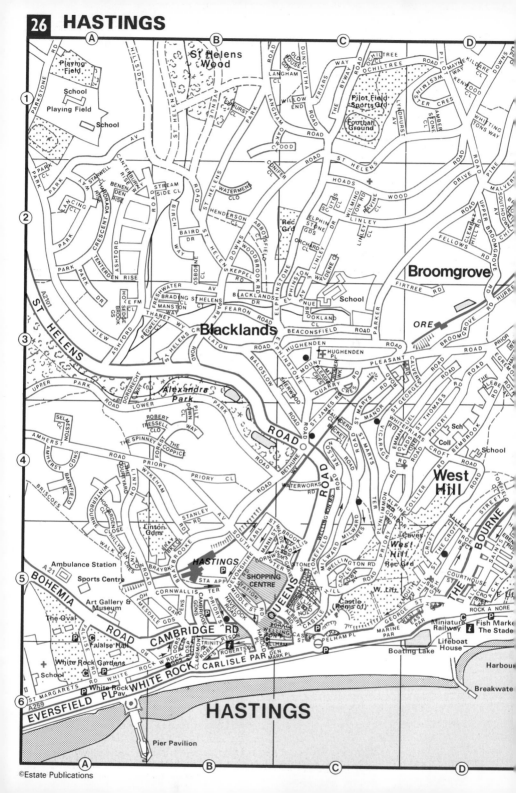

St Helens Wood

Pilot Field Sports Grd

Football Ground

Broomgrove

ORE

Blacklands

School

Alexandra Park

ROAD

West Hill

Ambulance Station

Sports Centre

Art Gallery & Museum

HASTINGS

SHOPPING CENTRE

The Oval

Falaise Hall

White Rock Gardens

School

BOHEMIA ROAD

CAMBRIDGE RD

Caves

West Hill Rec Grd

Castle (Rems of.)

Miniature Railway

Fish Market The Stade

Lifeboat House

Boating Lake

Harbour

Breakwater

CARLISLE PAR

WHITE ROCK PL

EVERSFIELD

A259

HASTINGS

Pier Pavilion

©Estate Publications

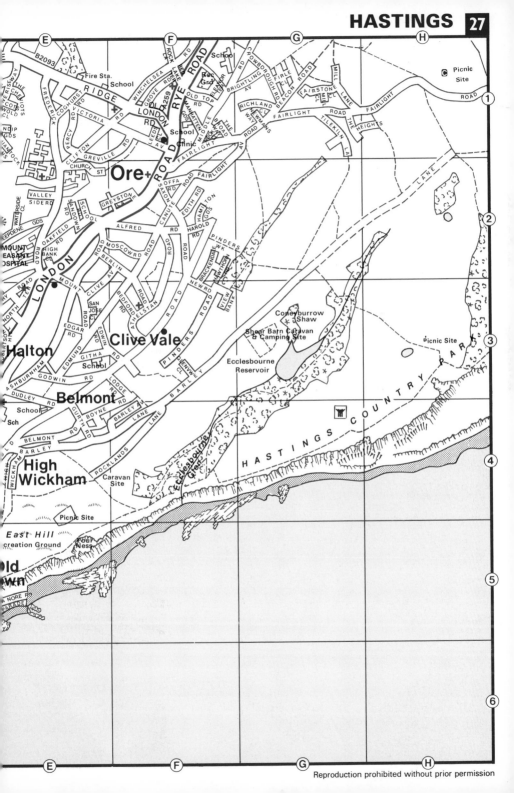

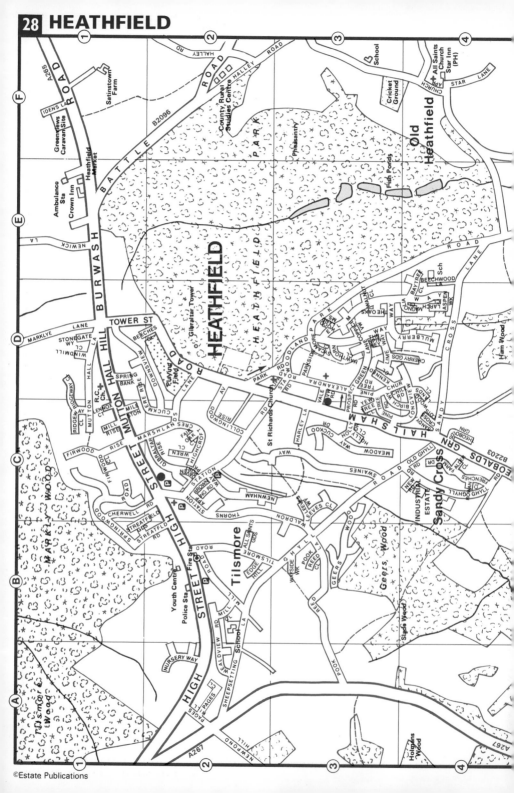

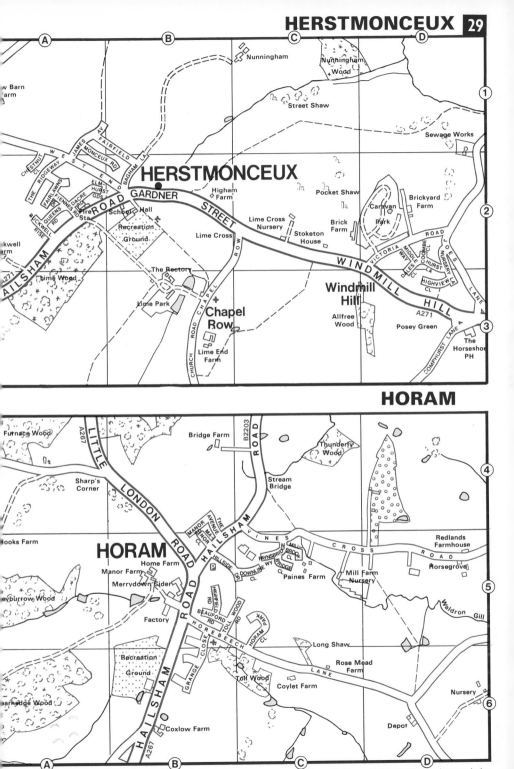

HERSTMONCEUX

HORAM

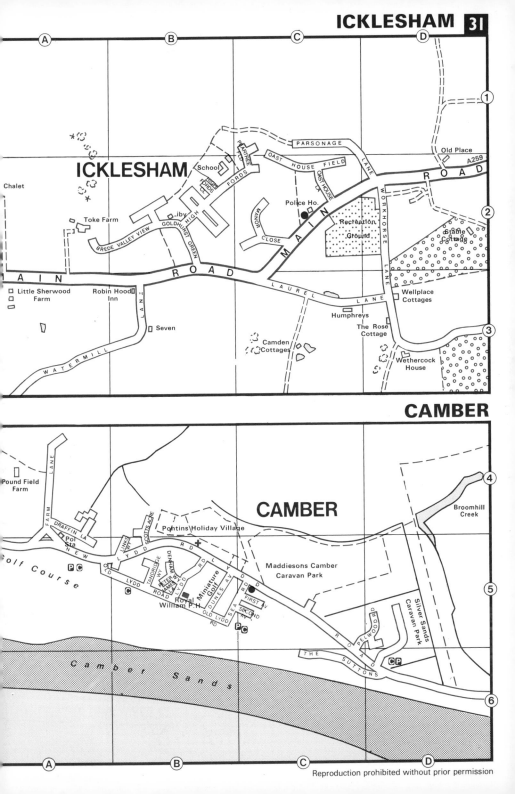

ICKLESHAM

Chalet

Toke Farm

School

...iby

Goldhurst Green

High

Brede Valley View

Fords

Peartree

PARSONAGE

Oast House Field

Oast House

Police Ho.

Manor

Close

Old Place

A259

ROAD

Workhorse Lane

Recreation Ground

Stable Cottage

MAIN

ROAD

LAUREL LANE

Wellplace Cottages

□ Little Sherwood
□ Farm

Robin Hood□ Inn

Lane

□ Seven

WATERMILL

Humphreys

The Rose Cottage

Camden Cottages

Wethercock House

CAMBER

Pound Field Farm

FARM LANE

DRAFFIN LA

NEW

Pol Sta

P C

Golf Course

LINKS WY

OLD LYDD

TANDRIDGE WY

SCOTS ACRE

DENHAM

PETER WYD

LYDD

RD

Pontins Holiday Village

CAMBER

Miniature Golf

OLD LYDD RD

Royal William P.H.

OLNES AV

SEA RD

FIRST AV

SECOND

P C

Maddiesons Camber Caravan Park

ROAD

THE SUTTONS

DELWOOD RD

Broomhill Creek

Silver Sands Caravan Park

C P

Camber Sands

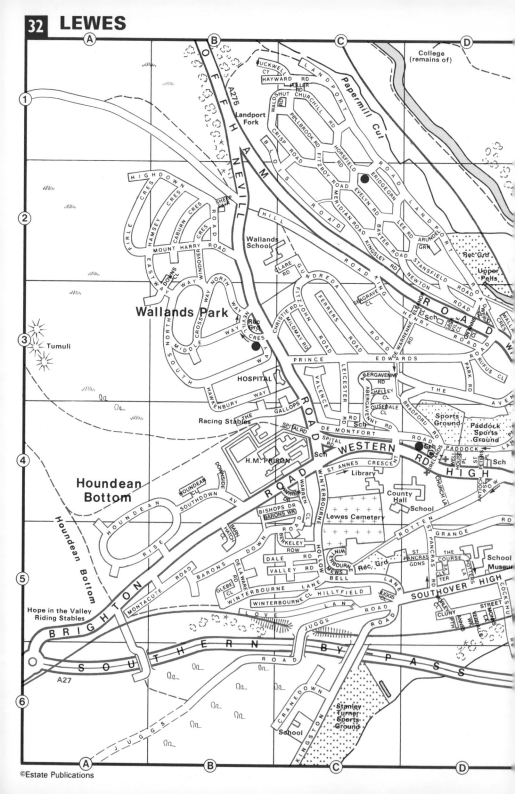

LEWES

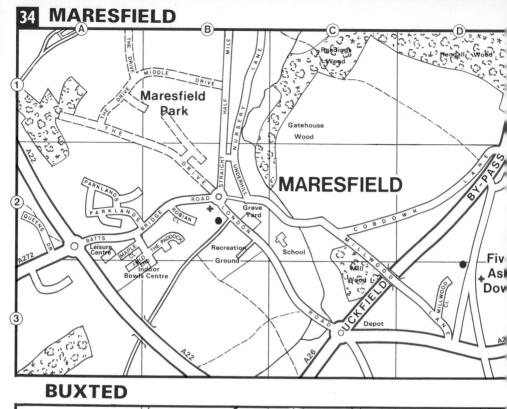

BUXTED

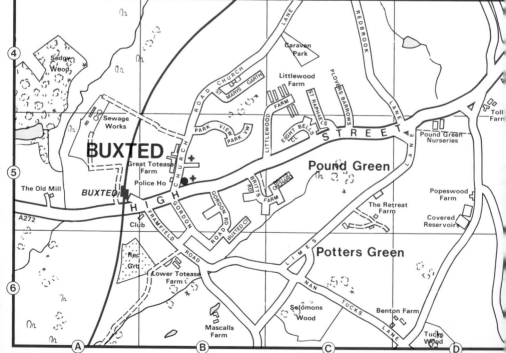

©Estate Publications

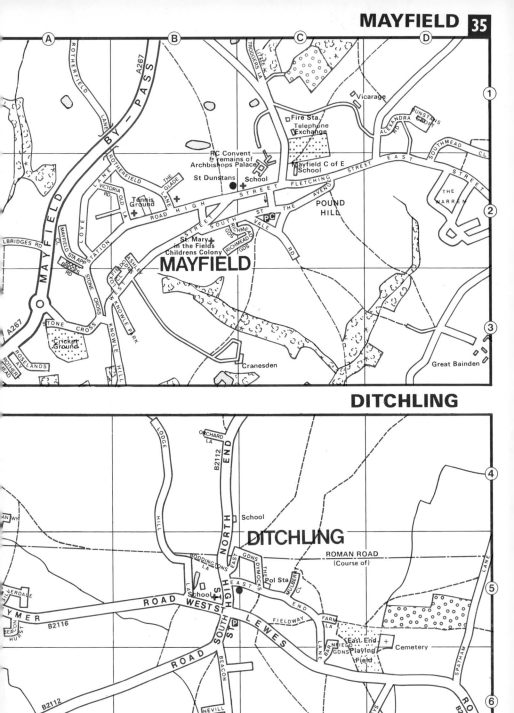

DITCHLING

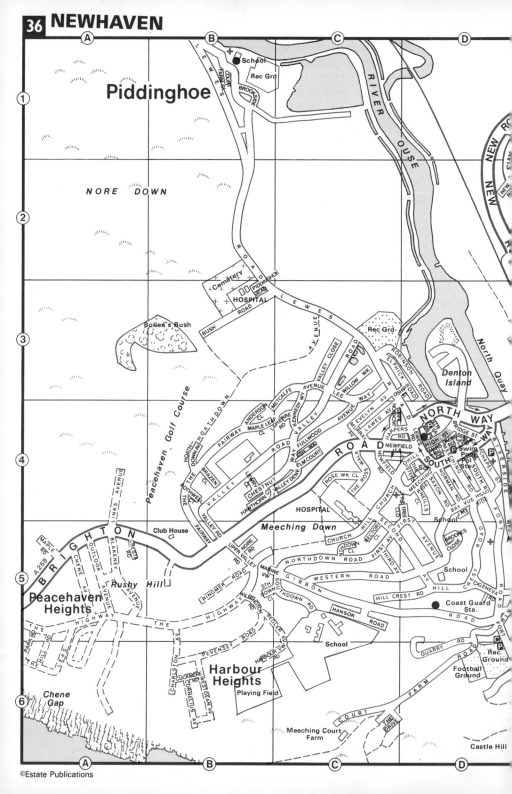

Piddinghoe

School
Rec Grd

COURT FARM CL
BROOKSIDE

RIVER OUSE

NEW ROAD
NEW

NORE DOWN

Cemetery
PIDDINGHOE MEAD
HOSPITAL
Bollen's Bush
BUSH
Rec Grd
Denton Island
North Quay

VALLEY CLOSE
ROBINSON ROAD
ELPHICK ROAD
CHIPPER ROAD

Peacehaven Golf Course

HOATH DOWN
FAIRWAY
ANDERSON CL
METCALFE
MAPLE LEAF CL
LAPIERRE RD
KENNEDY WY
VALLEY
FULLWOOD WAY
ELM COURT
FISH WK
CHESTNUT
HARTHORN CT
VALLEY DENE
ROSE WK CL
THE ROSE

LEE
WILLOW WK
EVELYN WAY
MURRAY AV
LAWES AV
HARPERS
NEWFIELD
NEWFIELD
ROAD
OYSTER
MEECHING
SAXON RD
NORMAN RD
RUSSELL RD
BAY VUE HILL
CHAPEL ST
RIVERSIDE

NORTH WAY
SOUTH WAY
BRIDGE ST
HIGH ST
FORT RD
Swim Pol
P
Sta.
P

AVENUE
LEE
ROAD
CHURCH HILL
RECTORY CL
SECOND AV
FIRST AV
THIRD AV
CREST ROAD
GENEVA RD
FORT ROAD

HOSPITAL
Meeching Down

Club House

BRIGHTON
A 259
MAPLE RD
OUTLOOK
CHENE AV
BLAKENEY
LINKS AVENUE
CRESTA RD
ROTHWELL CT
THE FAIRWAY
VALLEY RD
FAIRWAY
BRAZEN CL

Rushy Hill

Peacehaven Heights

UPPER NORE RD
NORE RD
MARINE VW
RINGMER ROAD
WILMINGTON RD
STH DOWN CL
SOUTHDOWN RD
GIBBON ROAD
CHURCH
NTHDOWN RD
NORTHDOWN ROAD
WESTERN ROAD
HILL CREST RD
HILL
School
BROOKS CLOSE
School
Coast Guard Sta.

THE HIGHWAY
THE
PARK RD
REDHILL RD
THE TEAS
CHARLSTON AV
PEVENSEY ROAD
CUCKMERE RD
CORNFIELD AV
WEST DEAN AV

HANSON ROAD
School
HARBOUR VW
PECLER AV

Harbour Heights

QUARRY
ROAD
Rec. Ground
Football Ground

Playing Field

Chene Gap

Meeching Court Farm

COURT ROAD
THE DRIVE
FARM

Castle Hill

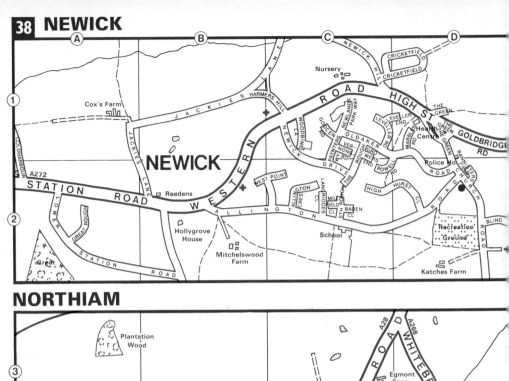

NORTHIAM

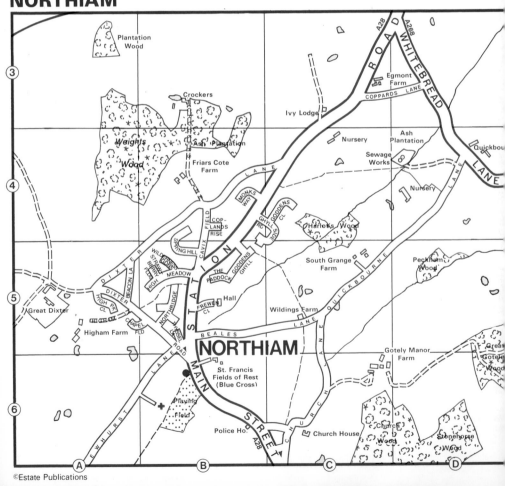

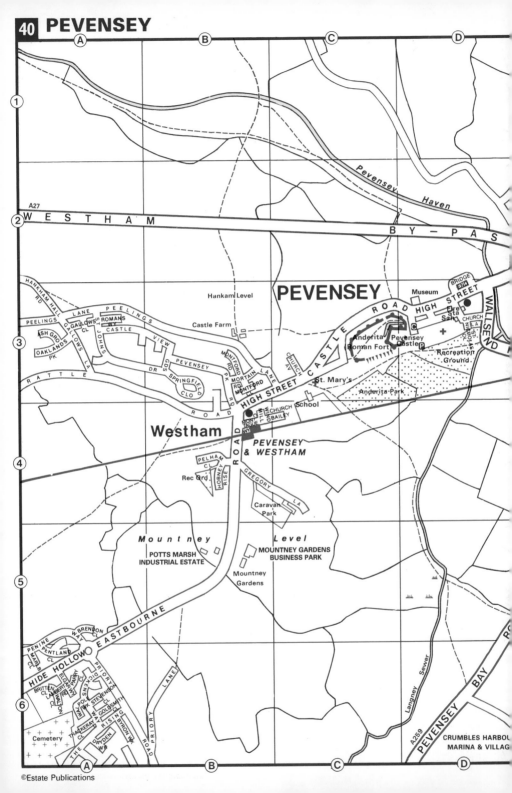

A27

PEVENSEY

Pevensey Haven

WESTHAM BY-PAS

Hankam Level

Museum

HANKHAM HALL RD
PEELINGS LANE
PEELINGS
Castle Farm
ROMANS WY
GALLOWS CL
ASH GRO
OAKLANDS PK
GALLOWS LA
CASTLE
JOHNS
VIEW
CL
CSTLE VIEW GDS
PEVENSEY DR
SPRINGFIELD CLO
MONTFORD ROAD
MORTAIN RD
MONTFORD CL
CHURCH LANE
CHURCH XV

Anderita Roman Fort
Pevensey Castle
Recreation Ground

RATTLE ROAD
HIGH STREET
St. Mary's
Anderita Park

CASTLE ROAD
HIGH STREET
BRIDGE END
WALLSEND
Pre Sta Sch
CHURCH
LA

Westham
CHURCH
School
MONT
O'BAILEY
VALE
WY

PEVENSEY & WESTHAM

PELHAM CL
HORNEY
RISE
Rec Grd
GREGORY LA
Caravan Park

ROAD

Mountney   Level
POTTS MARSH
INDUSTRIAL ESTATE
Mountney
Gardens
MOUNTNEY GARDENS
BUSINESS PARK

EASTBOURNE
W BRENDON
PENINE
PENTLAND
MARL
HIDE HOLLOW
BRITTEN CL
LAMBERT
CL
WALPOLE
STEVENSON
PARRY
PRIORY
HOLLOW
PRIORY LANE
THACKERAY
WALK
DRYDEN
WK
RISING
BYRON WK
Cemetery
THE

Langney Sewer
PEVENSEY BAY RO
A259
CRUMBLES HARBOU
MARINA & VILLAG

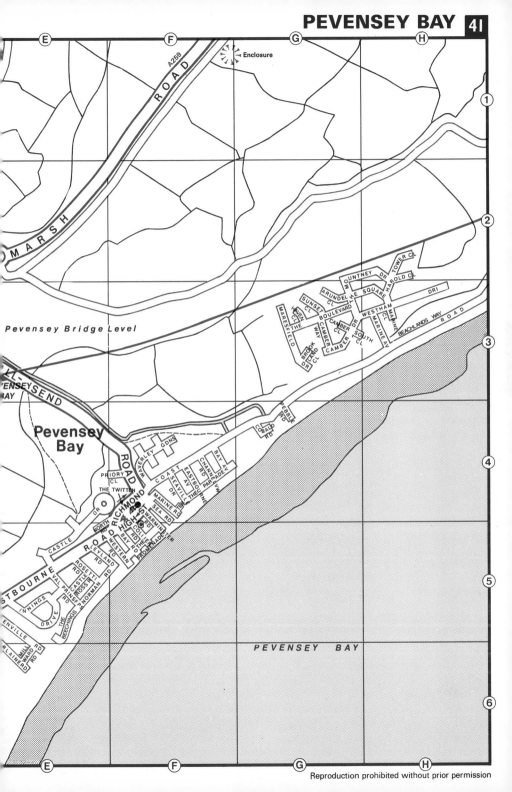

Enclosure

Pevensey Bridge Level

Pevensey Bay

PEVENSEY BAY

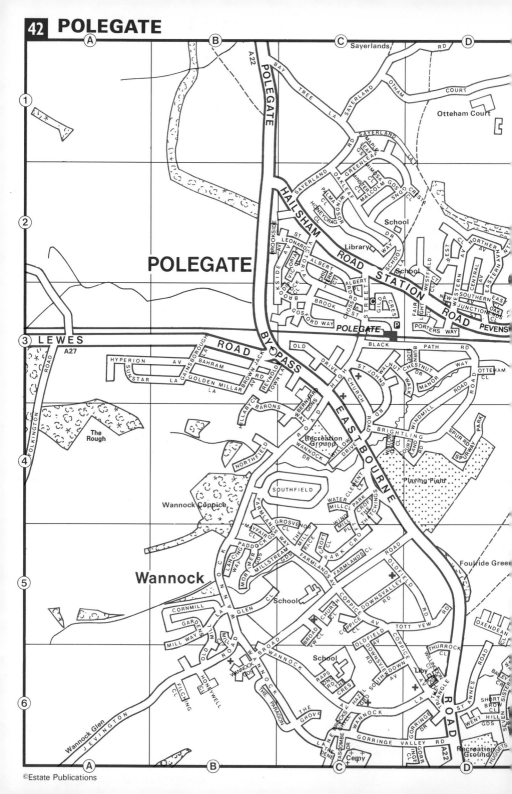

POLEGATE

LEWES

Wannock

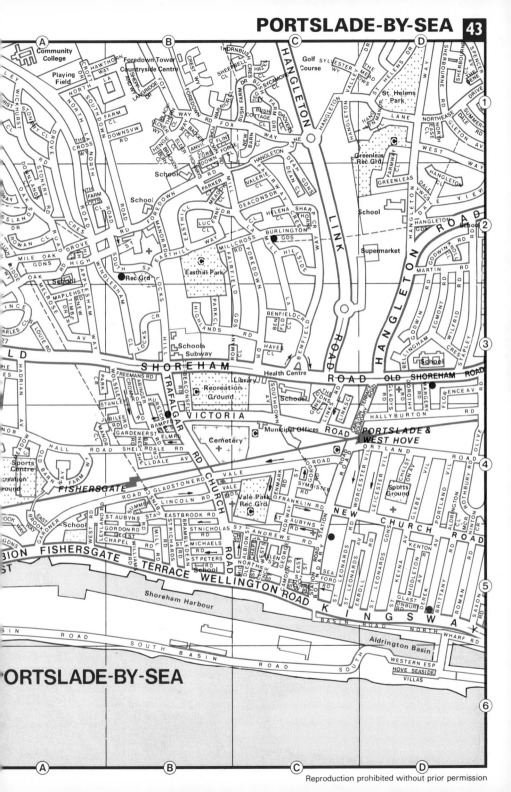

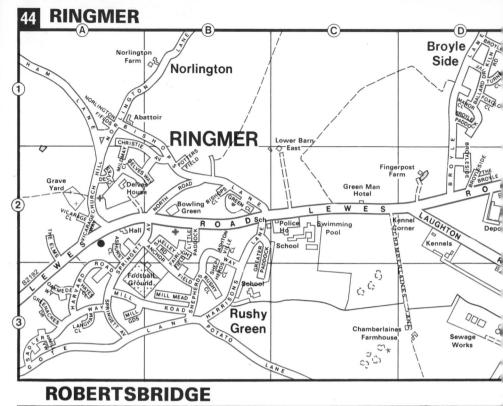

ROBERTSBRIDGE

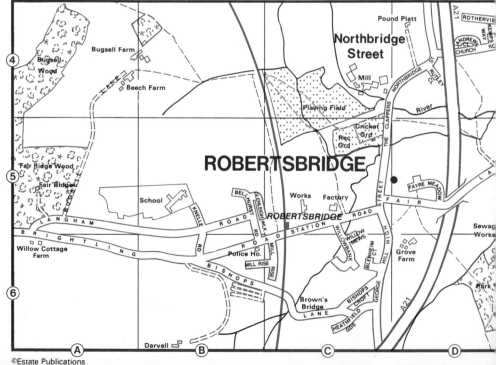

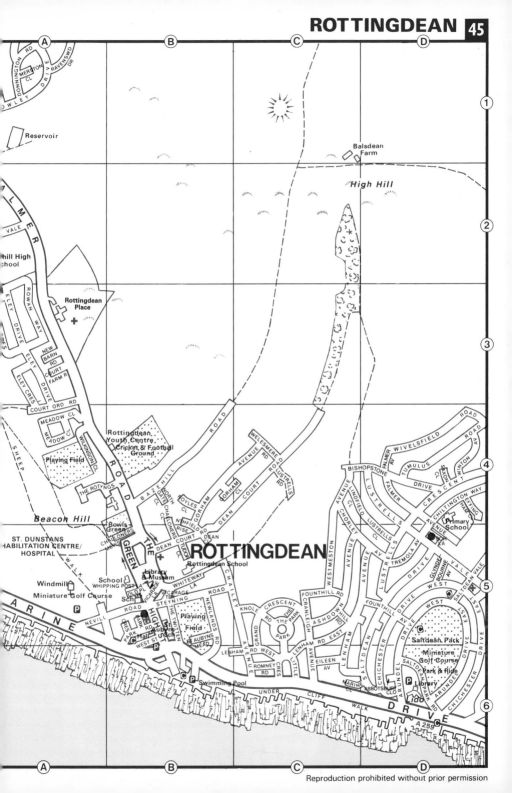

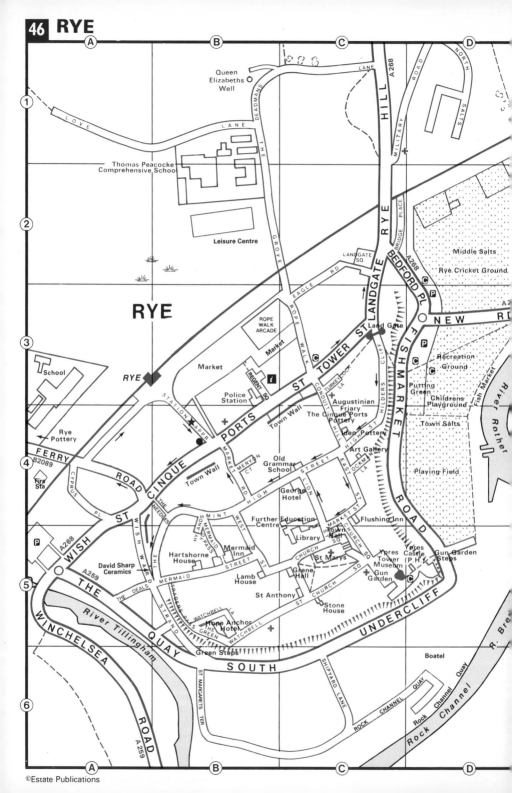

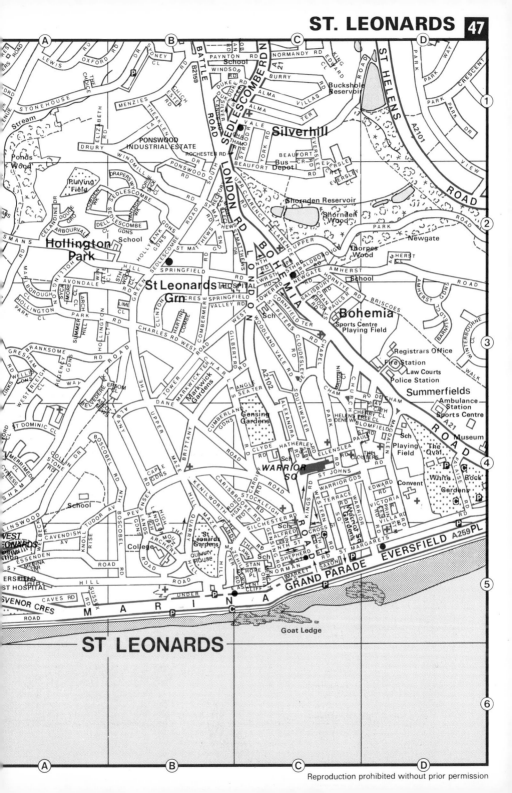

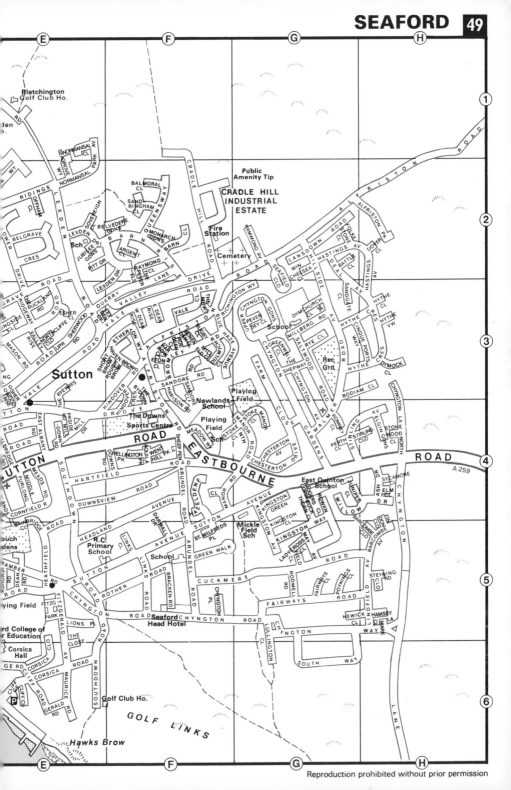

SALTDEAN

Telscombe Cliffs

Tenant Hill

Tumulus

TELSCOMBE TYE

School

SOUTH COAST ROAD

A259

ESPLANADE

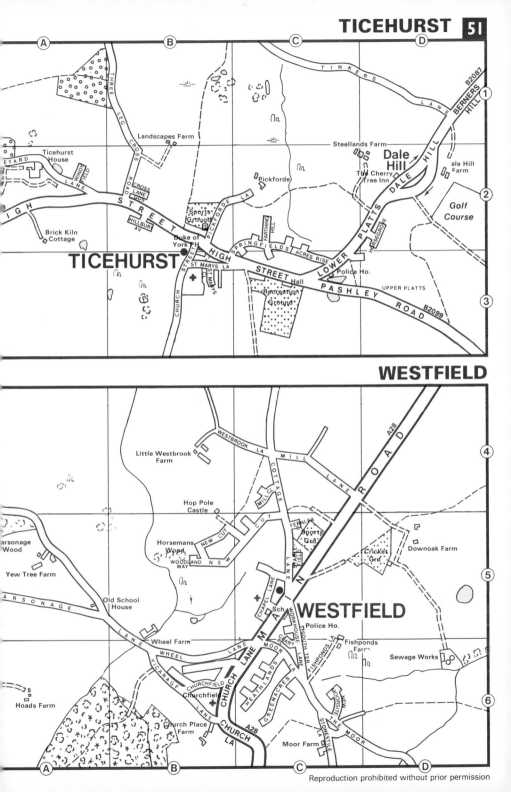

WESTFIELD

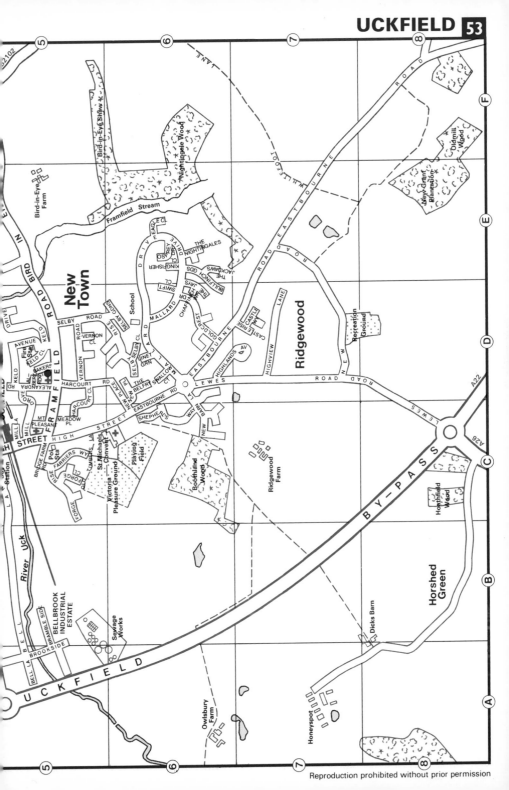

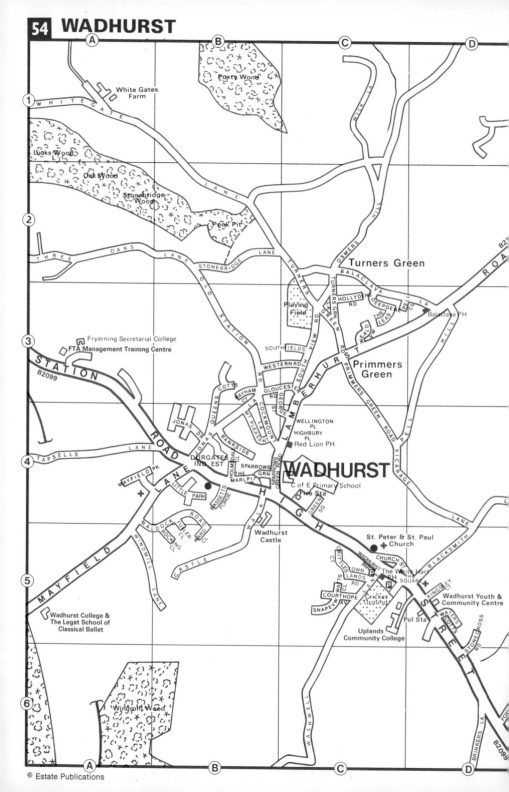

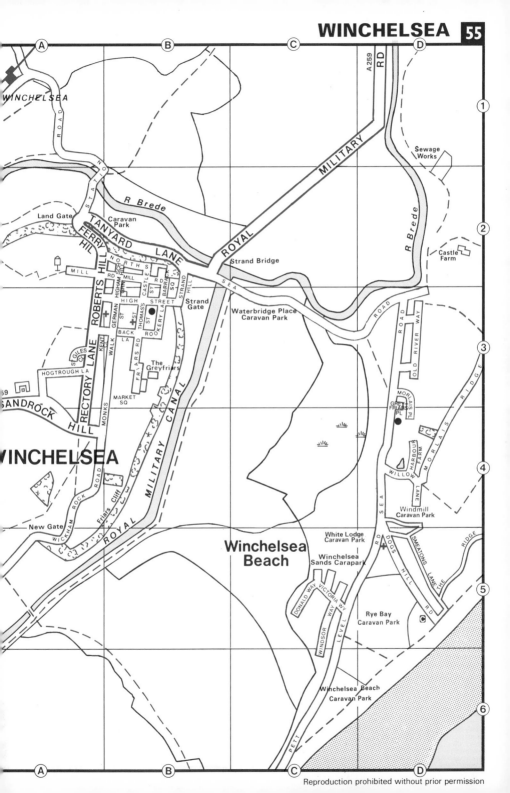

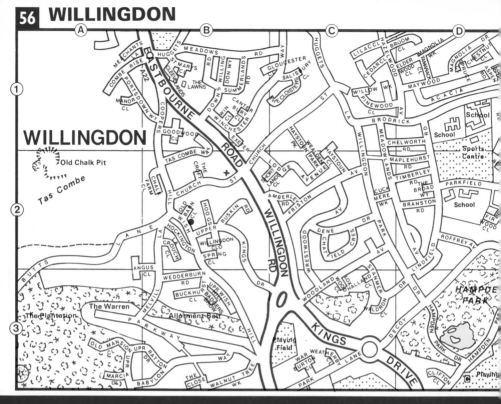

A - Z INDEX TO STREETS
With Postcodes

Street	Ref
stable Way. TN40	15 E3
ıden Dri. TN39	14 A6
ıper Dri. TN39	14 B1
nwall Rd. TN39	14 C5
rthope Dri. TN39	14 A4
ıfield Rd. TN39	14 D5
ıleigh Clo. TN39	14 A5
ıston Av. TN39	14 A5
ıston Clo. TN39	14 A4
ıston Rise. TN39	14 A5
whurst La. TN39	14 D1
wmere Av. TN40	14 D3
wmere Ter. TN40	14 C3
ıkfield Clo. TN39	15 G3
ıberland Rd. TN39	14 C1
ıbert Clo. TN39	14 B1
ıhurst Rd. TN39	14 B2
ington Clo. TN40	15 G3
ıeny Rd. TN39	14 A4
ıe Court Clo. TN39	14 C3
ıesbury Clo. TN39	14 B3
is Clo. TN39	14 A1
ıLa Warr Ct. TN40	15 F4
ıLa Warr Parade. TN40	14 D6
ıLa Warr Rd. TN40	15 E4
ıMoleyns Clo. TN40	14 D4
ıns Clo. TN39	14 B2
ıns Dri. TN39	14 B3
ıonshire Rd. TN40	14 D5
ıonshire Sq. TN40	14 C5
ıa Clo. TN40	15 G2
ıset Rd Sth. TN40	15 E5
ıset Rd. TN40	15 E5
ıvn Rd. TN39	14 B3
ıvnlands Av. TN39	14 B5
ıvnlands Clo. TN39	14 B5
ıxe St. TN39	14 A4
ıtwood Rd. TN39	14 B4
ınburgh Rd. TN40	14 C4
ıonton Rd. TN39	14 C2
ırton Rd. TN39	14 B6
ırwood Clo. TN40	14 D2
ırslie La. TN39	14 A2
ıstead Rd. TN40	15 E4
ıwell Rd. TN40	14 A5
ıge Clo. TN40	14 D6
ırsley Rd. TN40	14 A4
ıfield Chase. TN39	15 H3
ımount Rd. TN40	15 E4
ıgate Clo. TN39	14 B1
ıival Gdns. TN39	14 C1
ıham Rd. TN40	15 G2
ıt Av. TN40	15 F3
ıatts Way. TN39	14 A3
ınsborough Rd. TN40	14 E3
ırden Clo. TN40	14 D5
ıth Clo. TN39	14 B4
ıelands Dri. TN39	14 B3
ıvin Astor Clo. TN40	15 G3
ırgian Clo. TN40	15 E3
ıb Clo. TN40	15 G3
ıssenbury Dri. TN40	15 F4
ıneagles Clo. TN40	15 E4
ınleigh Av. TN39	14 A3
ınleigh Park Rd. TN39	14 A2
ınthorn Rd. TN39	14 B4
ıucester Av. TN40	15 G4
ıvers La. TN39	14 D2
ıne Ascent. TN40	15 F4
ıne Barn Clo. TN40	15 G3
ıne Rd. TN40	15 G3
ıdwood Clo. TN40	14 D3
ırdon Pl. TN39	14 C3
ınd Av. TN40	15 G3
ınge Court Dri. TN39	14 B3
ıenways. TN39	14 A2
ıters La. TN39	14 A2
ıynneth Gro. TN40	15 F2
ımilton Ter. TN39	14 B4
ınover Clo. TN40	14 D4
ıewood Clo. TN39	14 A5
ılam Clo. TN39	15 F3
ıtings Rd. TN40	15 F3
ıelock Rd. TN39	14 C3
ıtherdune Rd. TN39	14 B3
ırer Cres. TN39	14 A3
ıh Field Gdns. TN39	14 D2
ıh St. TN40	14 D4
ıhlands Clo. TN39	14 A1
ıcrest Rd. TN39	14 B2
ıside Rd. TN40	14 C4
ıiers Hill. TN40	14 D2
ınesdale Rd. TN40	14 B5
ınelands Clo. TN39	14 B2
ıting Clo. TN40	14 D4
ıstwood Clo. TN40	15 H3
ıe Av. TN40	15 H4
ıClo. TN40	15 G2

INDUSTRIAL ESTATES:

Street	Ref
Ravenside Retail & Leisure Park. TN40	15 G4
Ingrams Av. TN39	14 D1
Jacobs Acre. TN40	14 D3
Jameson Rd. TN40	14 D5
Jubilee Rd. TN39	14 A1
Kennedy Clo. TN40	15 F4
Kent Clo. TN40	15 H4
Kenton Clo. TN39	14 A3
Kestrel Clo. TN40	15 E4
King Offa Way. TN40	14 C4
Kings Clo. TN40	14 D5
Kingscott Clo. TN39	14 B1
Kingswood Av. TN39	14 A2
Kinver La. TN39	15 G3
Knebworth Rd. TN39	14 A4
Knole Rd. TN40	14 D6
Laburnum Gdns. TN40	15 F3
Langley Clo. TN39	14 C1
Lansdown Way. TN40	15 E3
Larkhill. TN40	14 D4
Leasingham Gdns. TN39	14 B3
Leopold Rd. TN39	14 C5
Lesley Clo. TN40	15 G2
Lewes Clo. TN39	14 B3
Lewis Av. TN40	15 G4
Linden Rd. TN40	14 C5
Links Dri. TN40	15 E4
Linley Clo. TN40	14 D5
Lionel Rd. TN40	15 E5
Little Common Rd. TN39	14 A4
London Rd. TN40	14 C4
Long Av. TN40	15 G3
Lullington Clo. TN40	15 G3
Lychgates Clo. TN40	14 D2
Maberley Rd. TN40	14 D5
Magdalen Rd. TN40	15 E5
Manor Rd. TN40	14 D6
Marina Court Av. TN40	14 C6
Marina. TN40	15 F4
Martletts. TN40	15 G3
Martyns Way. TN40	15 E3
Mayfield Way. TN40	14 B1
Mayo La. TN40	14 B1
Mayo Rise. TN40	15 F3
Maytree Gdns. TN40	14 D2
Meadow Cres. TN39	14 D5
Middlesex Rd. TN40	14 B2
Mill View Rd. TN39	15 F3
Milland Rd. TN39	14 C4
Millfield Rise. TN40	15 G3
Mistley Clo. TN40	14 C4
Mitten Rd. TN40	14 B1
Morgan Clo. TN39	14 A1
Mount Idol View. TN39	14 D5
New Park Av. TN40	14 B3
Newlands Av. TN39	14 B1
Ninfield Rd. TN39	14 C1
Norfolk Clo. TN39	14 A5
Normandale. TN39	14 C1
North Rd. TN39	14 B2
Oakwood Av. TN39	14 B3
Old Farm Rd. TN39	15 E4
Old Manor Clo. TN40	14 B3
Old Mill Pk. TN40	14 D4
Orchard Clo. TN40	14 D3
Orchard Rd. TN40	14 D3
Paddock Clo. TN40	14 B1
Pankhurst Clo. TN39	14 B1
Pankhurst Rise. TN39	14 C6
Park Av. TN39	14 B3
Park La. TN39	14 C5
Park Rd. TN39	14 A1
Parkhurst Rd. TN40	15 G2
Paton Rd. TN39	15 F3
Pebsham Dri. TN40	14 B2
Pebsham La. TN40	15 G2
Pembury Gro. TN39	15 F3
Penhurst Dri. TN40	15 G4
Penland Rd. TN40	14 B4
Penny La. TN40	14 B3
Piltdown Clo. TN39	14 B3
Pipers Clo. TN40	15 E3
Plemont Gdns. TN40	14 C1
Plumpton Clo. TN40	14 A3
Portfield Clo. TN39	14 B4
Preston Rd. TN39	14 B3
Primrose Hill. TN39	14 D4
Providence Way. TN39	14 A1
Putlands Cres. TN39	14 B2
Quebec Clo. TN39	14 D5
Rayford Ct. TN40	14 D4
Rectory Way. TN40	14 B5
Reginald Rd. TN39	14 B2
Richmond Av. TN40	14 D4
Richmond Clo. TN39	14 A6
Richmond Gro. TN39	14 A6
Richmond Rd. TN39	14 B6
Ridgewood Gdns. TN40	15 F4

Street	Ref
Ringwood Rd. TN39	14 D2
Roedean Clo. TN39	14 A4
Rookhurst Rd. TN40	15 G4
Roselands. TN39	14 A3
Rotherfield Av. TN40	14 D5
Roundacres Way. TN40	15 F3
Rowan Gdns. TN40	15 F3
Royston Gdns. TN40	15 F3
Sackville Rd. TN40	14 C5
St Andrews Rd. TN40	14 C3
St Annes Clo. TN40	14 D3
St Augustines Clo. TN39	14 A6
St Davids Av. TN40	14 C4
St Francis Chase. TN39	14 B4
St Georges Rd. TN40	14 C3
St James Av. TN40	14 D2
St James Clo. TN40	14 D2
St James Cres. TN40	14 D3
St James Rd. TN40	14 D3
St Johns Rd. TN40	14 D3
St Lawrence Rd. TN39	14 C2
St Leonards Rd. TN40	14 D5
St Marys La. TN39	14 A1
St Patricks Cres. TN40	14 D3
St Peters Cres. TN40	14 D3
Salisbury Rd. TN40	14 C4
Salvington Cres. TN39	14 A4
Sandown Way. TN40	14 E3
Saxby Rd. TN39	14 B4
Saxon Rise. TN40	15 E4
School Pl. TN40	15 G4
Sea Rd. TN40	14 D6
Seabourne Rd. TN40	15 F3
Second Av. TN40	15 F3
Sedgewick Rd. TN40	14 D3
Sewell Av. TN40	14 C3
Sidley Grn. TN39	14 C2
Sidley St. TN39	14 C1
Silva Clo. TN40	15 G3
Silvester Rd. TN40	14 D4
South Cliff. TN39	14 A6
Southcourt Av. TN39	14 A6
Southlands Av. TN39	14 B1
Southlands Rd. TN39	14 B1
Springfield Rd. TN40	14 C3
Station Rd. TN40	14 C5
Suffolk Rd. TN40	14 C2
Summerhill Rd. TN39	14 A3
Sunningdale Clo. TN40	15 E4
Sussex Clo. TN40	14 A4
Sutherland Av. TN39	14 A4
Sutherland Clo. TN39	14 A4
Sutton Pl. TN40	15 F5
Terminus Av. TN39	14 A6
Terminus Rd. TN39	14 B5
Thackenham Clo. TN40	15 G3
The Briary. TN40	15 E3
The Chartres. TN40	15 E3
The Fairways. TN39	14 A3
The Finches. TN40	15 F4
The Glades. TN40	15 E3
The Highlands. TN39	14 A1
The Ridings. TN39	14 A1
Third Av. TN40	15 F3
Thornbank Cres. TN39	14 A5
Tiverton Dri. TN40	15 F4
Top Cross Rd. TN40	15 G2
Town Hall Sq. TN39	14 C5
Turkey Rd. TN39	14 A2
Turner Clo. TN40	15 E3
Uplands Clo. TN39	14 A2
Upper Sea Rd. TN40	14 D5
Venture Rd. TN40	15 F4
Victoria Rd. TN39	14 C5
Wainwright Rd. TN39	14 B5
Walton Rd. TN39	14 A5
Wannock Clo. TN40	15 G3
Ward Way. TN39	14 A3
Warwick Rd. TN39	14 A4
Watergates. TN39	14 B1
Watermill Clo. TN40	14 C1
Watermill La. TN40	14 B1
Wentworth Clo. TN39	15 G3
West Down Rd. TN39	14 B4
West Parade. TN39	14 B6
Westcourt Dri. TN40	14 A5
Western Rd. TN40	14 C5
Westville Rd. TN40	14 B5
Westway Dri. TN40	14 B5
Whitehouse Av. TN39	14 B2
Wickham Av. TN39	14 B6
Wilkins Way. TN40	15 G2
Willingdon Av. TN39	14 B4
Wilton Rd. TN40	14 D6
Windmill Dri. TN39	14 C5
Windsor Rd. TN39	15 F4
Wineham Way. TN40	15 F4
Woodland Rise. TN39	14 A6
Woodsgate Av. TN39	14 C3
Woodsgate Pk. TN39	14 B3

Street	Ref
Woodville Rd. TN39	14 B6
Worsham La. TN40	15 F2
Wrestwood Clo. TN40	14 D2
Wrestwood Rd. TN40	14 D2
Wychurst Gdns. TN40	14 D3
York Rd. TN40	15 G4

BRIGHTON

Street	Ref
Air St. BN1	16 D4
Albert Rd. BN1	16 D1
Albion Hill. BN2	17 G2
Albion Ho. BN2	17 G2
Albion Pl. BN2	17 G1
Albion St. BN2	17 G2
Alexandra Villas. BN1	16 D2
Alfred Rd. BN1	16 D2
Ann St. BN1	17 F1
Ardingly St. BN2	17 G5
Ashton Rise. BN2	17 G2
Atlingworth St. BN2	17 H5
Bartholomew Sq. BN1	17 E5
Bartholomews. BN1	17 E5
Bartholomews Av. BN1	17 E5
Bath St. BN1	16 C1
Bedford Pl. BN1	16 B4
Bedford Sq. BN1	16 A4
Belgrave St. BN2	17 G2
Belmont St. BN1	17 F1
Bishops Walk. BN1	16 C3
Black Lion La. BN1	17 E5
Black Lion St. BN1	17 E5
Blackman St. BN1	17 E1
Blaker St. BN2	17 G4
Blenheim Pl. BN1	17 F3
Bond St. BN1	17 E4
Bond St Cotts. BN1	17 E4
Bond St Row. BN1	17 E4
Borough St. BN1	16 B3
Boyces St. BN1	16 D4
Brighton Pl. BN1	17 E4
Brighton Sq. BN1	17 E4
Brills La. BN1	17 F5
Broad St. BN2	17 G5
Brooke Mead. BN2	17 G2
Brunswick Rd. BN3	16 A3
Brunswick Row. BN1	17 F1
Brunswick St E. BN3	16 A4
Brunswick Ter. BN3	16 A4
Buckingham Pl. BN1	16 C1
Buckingham Rd. BN1	16 D2
Buckingham St. BN1	16 D2
Cambridge Rd. BN3	16 A3
Camden Ter. BN1	16 D2
Camelford St. BN2	17 G5
Cannon Pl. BN1	16 C4
Carlton Hill. BN2	17 G3
Carlton Pl. BN2	17 H4
Castle Sq. BN1	17 F4
Castle St. BN1	16 C4
Cavendish Mews. BN3	16 A4
Cavendish Pl. BN1	16 B4
Cavendish St. BN2	17 G5
Centurion Rd. BN1	16 D2
Chapel Mews. BN3	16 A4
Chapel St. BN2	17 G5
Charles St. BN2	17 F5
Charlotte St. BN2	17 H6
Cheapside. BN1	17 F1
Cheltenham Pl. BN1	17 F3
Church St. BN1	16 D3
Churchill Sq. BN1	16 D4
Churchway. BN2	17 G2
Circus St. BN2	17 F3
Clarence La. BN1	16 C4
Clarence Sq E. BN1	16 D4
Clarence Yard. BN1	17 E4
Clifton Hill. BN1	16 C1
Clifton Mews. BN1	16 C2
Clifton Pl. BN1	16 C3
Clifton Rd. BN1	16 C3
Clifton St. BN1	16 D1
Clifton St Pass. BN1	16 D1
Clifton Ter. BN1	16 C2
Coleman St. BN2	17 H1
Compton Av. BN1	16 C1
Courtlands. BN1	17 G2
Cranbourne St. BN1	16 D4
Cranbrook. BN2	17 G2
Cross St. BN3	16 A3
Crown Gdns. BN1	16 C3
Crown St. BN1	16 C3
Davigdor Rd. BN3	16 B1
Dean St. BN1	16 C4
Denmark Ter. BN1	16 B2
Devonshire Pl. BN2	17 G5
Dinapore Ho. BN2	17 G2

57

Ditchling Rd. BN1	17 F1	Marine Vw. BN2	17 H4	St Georges Pl. BN1	17 F2
Dorset Gdns. BN2	17 G5	Market St. BN1	17 E5	St James's Av. BN2	17 H5
Dorset Pl. BN2	17 G4	Marlborough Mews. BN1	16 C3	St James's Mews. BN2	17 G5
Dorset St. BN2	17 G4	Marlborough Pl. BN1	17 F3	St James's Pl. BN2	17 F5
Duke St. BN1	16 D4	Marlborough St. BN1	16 C3	St James's St. BN2	17 F5
Dukes Ct. BN1	16 D4	Meeting House La. BN1	17 E4	St Johns Pl. BN2	17 G4
Dukes La. BN1	17 E4	Middle St. BN1	16 D5	St Margarets Pl. BN1	16 C4
Dyke Rd. BN1	16 C1	Mighell St. BN2	17 G4	St Marys Pl. BN2	17 H5
East St. BN1	17 E5	Milner Flats. BN2	17 G3	St Michaels Pl. BN1	16 C2
Eastern Rd. BN2	17 H4	Montpelier Cres. BN1	16 C1	St Nicholas Rd. BN1	16 D3
Ecclesden. BN2	17 G2	Montpelier Pl. BN1	16 B2	St Peter St. BN1	17 F1
Edward St. BN2	17 F4	Montpelier Rd. BN1	16 B4	St Peters Pl. BN1	17 F1
Egremont Pl. BN2	17 H4	Montpelier St. BN1	16 C3	Saxonbury. BN2	17 G3
Elmore Rd. BN2	17 G3	Montpelier Ter. BN1	16 B3	Scotland St. BN2	17 H2
Esplanade. BN1	16 B5	Montpelier Villas. BN1	16 B3	Seven Dials. BN1	16 C1
Essex St. BN2	17 H5	Montreal Rd. BN2	17 H2	Ship St. BN1	17 E5
Ewart St. BN2	17 H1	Morley St. BN2	17 F3	Ship St Gdns. BN1	16 D5
Farm Yard. BN1	16 D4	Mount Pleasant. BN2	17 H4	Sillwood Pl. BN1	16 B4
Farman St. BN3	16 A3	Nelson Pl. BN1	17 G3	Sillwood Rd. BN1	16 B4
Finsbury Rd. BN2	17 H2	Nelson Row. BN2	17 G3	Sillwood St. BN1	16 A4
Foundry St. BN1	17 E3	New Dorset St. BN1	16 D2	Sillwood Ter. BN1	16 B3
Frederick Gdns. BN1	17 E2	New England St. BN1	17 F1	South St. BN1	16 D5
Frederick Pl. BN1	17 E2	New Rd. BN1	17 E4	Southampton St. BN2	17 H2
Frederick St. BN1	17 E2	New Steine. BN2	17 G5	Southover St. BN2	17 G1
Furze Croft. BN3	16 A1	Newark Pl. BN2	17 G2	Spring Gdns. BN1	17 E3
Furze Hill. BN3	16 A2	Newhaven St. BN2	17 G1	Spring St. BN1	16 C3
Furze Hill Ct. BN3	16 A2	Nile St. BN1	17 E5	Stanley St. BN2	17 H3
Gardner St. BN1	17 E3	Nizells Av. BN3	16 A1	Station St. BN1	17 E1
George St. BN2	17 F5	Nizells La. BN3	16 A1	Steine Gdns. BN2	17 F4
Gloucester Pass. BN1	17 F2	Norfolk Blds. BN1	16 A4	Steine La. BN2	17 F5
Gloucester Pl. BN1	17 F3	Norfolk Rd. BN1	16 A3	Steine St. BN2	17 F5
Gloucester Rd. BN1	17 E2	Norfolk Sq. BN1	16 A3	Stone St. BN1	16 C3
Gloucester St. BN1	17 F2	Norfolk St. BN1	16 A4	Surrey St. BN1	17 E2
Glynview. BN2	17 G3	Norfolk Ter. BN1	16 B2	Sussex Pl. BN2	17 G2
Goldsmid Rd. BN3	16 B1	Norman Hurst. BN2	17 G2	Sussex St. BN2	17 G3
Grafton St. BN2	17 H6	North Gdns. BN1	16 D2	Sussex Ter. BN2	17 G3
Grand Junction Rd. BN1	17 E5	North Pl. BN1	17 F3	Sydney St. BN1	17 F2
Grand Parade. BN2	17 F4	North Rd. BN1	17 E3	Tarner Rd. BN2	17 H3
Grand Parade Mews. BN2	17 F4	North St. BN1	16 D4	Temple Gdns. BN1	16 B2
Grant St. BN2	17 H1	North St Quadrant. BN1	16 D4	Temple St. BN1	16 B3
Grenville St. BN1	16 D4	Old Steine. BN1	17 F5	Terminus Pl. BN1	17 E1
Grosvenor St. BN2	17 G4	Orange Row. BN1	17 E3	Terminus Rd. BN1	17 E1
Grove Bank. BN2	17 G2	Oriental Pl. BN1	16 B4	Terminus St. BN1	17 E1
Grove Hill. BN2	17 G2	Osmond Gdns. BN3	16 B1	Thames Clo. BN2	17 H4
Grove St. BN2	17 H2	Osmond Rd. BN3	16 B1	The Lanes. BN1	17 E4
Guildford Rd. BN1	17 D1	Over St. BN1	17 E2	Thornsdale. BN2	17 G2
Guildford St. BN1	16 D2	Oxford Pl. BN1	17 F1	Tichborne St. BN1	17 E3
Hampton Pl. BN1	16 B3	Palace Pl. BN1	17 F4	Tidy St. BN1	17 F2
Hampton St. BN1	16 C3	Park Gate. BN3	16 A1	Tilbury Pl. BN2	17 G3
Hanover St. BN2	17 G1	Park Hill. BN2	17 H4	Tilbury Way. BN2	17 H3
Hanover Ter. BN2	17 G1	Park Road Ter. BN2	17 H3	Tillstone St. BN1	17 H4
Hereford St. BN2	17 H5	Park St. BN2	17 H4	Toronto Ter. BN2	17 H2
High St. BN2	17 G5	Pavilion Bldgs. BN1	17 F4	Trafalgar Ct. BN1	17 F2
Highleigh. BN2	17 G2	Pavilion Par. BN1	17 F4	Trafalgar La. BN1	17 E2
Holland St. BN2	17 H2	Pavilion St. BN2	17 F4	Trafalgar Pl. BN1	17 E1
Imperial Arc. BN1	16 D4	Pelham Sq. BN1	17 F2	Trafalgar St. BN1	17 E2
Islingword St. BN2	17 H2	Pelham St. BN1	17 F1	Trafalgar Ter. BN1	17 E2
Ivory Pl. BN2	17 G3	Phoenix Pl. BN2	17 G1	Union St. BN1	17 E4
Ivy Mews. BN3	16 A3	Pool Pass. BN1	17 F5	Upper Gardner St. BN1	17 E3
Ivy Pl. BN3	16 A3	Pool Valley. BN1	17 F5	Upper Gloucester Rd. BN1	16 D2
Jackson St. BN2	17 H1	Portland St. BN1	17 E4	Upper Market St. BN3	16 A3
Jersey St. BN2	17 G2	Powis Gro. BN1	16 C2	Upper North St. BN1	16 C3
Jew St. BN1	17 E3	Powis Rd. BN1	16 C2	Upper Rock Gdns. BN2	17 H5
John St. BN2	17 G3	Powis Sq. BN1	16 C2	Upper St James St. BN2	17 H5
Jubilee Mews. BN1	17 F3	Powis Villas. BN1	16 C2	Vernon Ter. BN1	16 C1
Jubilee St. BN1	17 E3	Preston St. BN1	16 B4	Veronica Way. BN2	17 H5
Junction Rd. BN1	17 E1	Prince Albert St. BN1	17 E4	Victoria Pl. BN1	16 C2
Kemp St. BN1	17 E2	Princes Pl. BN1	17 E4	Victoria Rd. BN1	16 B2
Kensington Gdns. BN1	17 E3	Princes St. BN2	17 F4	Victoria St. BN1	16 C3
Kensington Pl. BN1	17 E2	Providence Pl. BN1	17 F1	Vine Pl. BN1	17 E2
Kensington St. BN1	17 F3	Quebec St. BN1	17 H2	Vine St. BN1	17 F3
Kew St. BN1	16 D3	Queen Sq. BN1	16 D3	Washington St. BN2	17 G1
King Pl. BN1	17 E4	Queens Gdns. BN1	17 E3	Waterloo Pl. BN2	17 G1
King St. BN1	17 E3	Queens Park Rd. BN2	17,H3	Waterloo St. BN3	16 A4
Kings Rd. BN1	16 A4	Queens Pl. BN1	17 F1	Wentworth St. BN2	17 G5
Kingswood Flats. BN2	17 G3	Queens Rd. BN1	16 D3	West Dri. BN2	17 H3
Kingswood St. BN2	17 F3	Queens Rd Quad. BN1	17 E2	West Hill Pl. BN1	16 D1
Lansdowne Rd. BN3	16 A2	Queensbury Mews. BN1	16 C4	West Hill Rd. BN1	16 D1
Lavender St. BN2	17 H5	Railway St. BN1	17 E1	West Hill St. BN1	16 D1
Lee Bank. BN2	17 G2	Regency Mews. BN1	16 C4	West St. BN1	16 D5
Leicester St. BN2	17 H4	Regency Rd. BN1	16 C4	Western Rd. BN1	16 A3
Lennox St. BN2	17 H4	Regency Sq. BN1	16 B4	Western St. BN1	16 A4
Leopold Rd. BN1	16 D2	Regent Arcade. BN1	17 E5	Western Ter. BN1	16 B3
Lewes St. BN2	17 G1	Regent Hill. BN1	16 C3	White St. BN2	17 G4
Lewis's Blds. BN1	17 E4	Regent Row. BN1	16 D3	Whitecross St. BN1	17 F1
Lincoln Cotts. BN2	17 H1	Regent St. BN1	17 E3	Wick Hall. BN3	16 A2
Lincoln St. BN2	17 H1	Richmond Gdns. BN2	17 G2	William St. BN1	17 F4
Little East St. BN1	17 E5	Richmond Heights. BN2	17 G2	Windlesham Av. BN1	16 B1
Little Preston St. BN1	16 B4	Richmond Par. BN2	17 G2	Windlesham Gdns. BN1	16 B1
Little Western St. BN1	16 A3	Richmond Pl. BN2	17 F2	Windlesham Rd. BN1	16 B2
London Rd. BN1	17 F1	Richmond St. BN2	17 G2	Windmill St. BN2	17 H3
Lower Market St. BN3	16 A4	Richmond Ter. BN2	17 G1	Windmill Ter. BN2	17 H2
Lower Rock Gdns. BN2	17 H5	Robert St. BN1	17 F3	Windsor Blds. BN1	17 E4
Madeira Dri. BN2	17 F5	Rock Pl. BN2	17 G5	Windsor St. BN1	16 D3
Madeira Pl. BN2	17 G5	Russell Mews. BN1	16 C4	Wykeham Ter. BN1	16 D3
Manchester St. BN2	17 F5	Russell Pl. BN1	16 D4	Wyndham St. BN2	17 H6
Margaret St. BN2	17 G5	Russell Rd. BN1	16 C4	York Av. BN3	16 A3
Marine Gdns. BN2	17 H6	Russell Sq. BN1	16 C4	York Pl. BN1	17 F1
Marine Parade. BN2	17 F5	St Georges Mews. BN1	17 F2	York Rd. BN3	17 G5
				Zion Gdns. BN1	16 D3

BUXTED

Britts Farm Rd. TN22	34
Britts Orchard. TN22	34
Buxted Ct. TN22	34
Church La. TN22	34
Church Rd. TN22	34
Eight Bells Clo. TN22	34
Framfield Rd. TN22	34
Gordon Rd. TN22	34
High St. TN22	34
Limes La. TN22	34
Littlewood Farm. TN22	34
Nan Tucks La. TN22	34
Park View. TN22	34
Plovers Barrows. TN22	34
Redbrook La. TN22	34
St Marys Garth. TN22	34
St Raphaels. TN22	34

CAMBER

Denham Way. TN31	31
Draffins La TN31	31
Dunes Av TN31	31
Farm La TN31	31
First Av TN31	31
Links Way TN31	31
Lydd Rd TN31	31
New Lydd Rd TN31	31
Old Lydd Rd TN31	31
Pelwood Rd TN31	31
Peter James La TN31	31
Scotts Acre TN31	31
Sea Rd TN31	31
Second Av TN31	31
Tandridge Way TN31	31
The Suttons TN31	31

CROWBOROUGH

April Ct. TN6	19
Ashleigh Gdns. TN6	18
Aviemore Rd. TN6	18
Badgers Clo. TN6	18
Barnfield. TN6	19
Beacon Clo. TN6	18
Beacon Gdns. TN6	18
Beacon Rd. TN6	18
Beacon Rd West. TN6	18
Beaconwood. TN6	18
Beaver Clo. TN6	19
Beeches Farm Rd. TN6	19
Beeches Rd. TN6	19
Belvedere Gdns. TN6	18
Birches Clo. TN6	18
Blackness Rd. TN6	19
Blacknest. TN6	19
Booker Clo. TN6	18
Bracken Clo. TN6	19
Bramble Croft. TN6	19
Bridger Way. TN6	18
Brincliffe. TN6	18
Broadway. TN6	18
Brook Clo. TN6	19
Brook Ter. TN6	18
Brook View. TN6	18
Bryants Fields. TN6	18
Buller Clo. TN6	18
Burdett Rd. TN6	19
Charity Farm Way. TN6	19
Chequers Clo. TN6	19
Chequers Way. TN6	19
Church Rd. TN6	18
Clifford Ct. TN6	18
Coldharbour Clo. TN6	18
Coldharbour Cotts. TN6	18
Combe End. TN6	18
Common Wood Rise. TN6	18
Coopers La. TN6	18
Coopers Wood. TN6	18
Cornford Clo. TN6	18
Croft Rd. TN6	18
Croham Rd. TN6	18
Crowborough Hill. TN6	18
Dodds Hill. TN6	19
East Beeches Rd. TN6	19
Elim Court Gdns. TN6	19
Eridge Dri. TN6	19
Eridge Gdns. TN6	18
Eridge Rd. TN6	18

rview Pl. TN6	18 C2	St Denys View. TN6	19 E5	
rview La. TN6	18 C3	St Johns Rd. TN6	18 B2	
ningham Rd. TN6	19 G6	St Michaels Clo. TN6	19 F6	
mor Row. TN6	18 D6	Sandridge. TN6	18 C5	
mor Way. TN6	18 D6	Saxonbury Clo. TN6	18 D4	
nbank Centre. TN6	18 D3	School La. TN6	18 D5	
lden La. TN6	18 B6	School La, St Johns. TN6	18 B2	
lden Rd. TN6	18 B6	Sefton Chase. TN6	19 E3	
g La. TN6	18 D6	Sefton Way. TN6	19 E3	
est Dene. TN6	19 G6	Shaw Field. TN6	19 F5	
est Pk. TN6	18 B4	Sheep Plain. TN6	18 B6	
est Rise. TN6	19 G5	Sheiling Rd. TN6	18 C3	
yll Rd. TN6	18 C2	Shepherds Walk. TN6	19 F5	
ridge Grn. TN6	18 D2	Simons Clo. TN6	19 E5	
dstone Rd. TN6	18 D6	Smugglers La. TN6	18 B1	
nmore Rd. TN6	18 A3	South St. TN6	18 D5	
nmore Rd East. TN6	18 B3	Southridge Rise. TN6	18 C6	
dsmith Av. TN6	18 C3	Southridge Rd. TN6	18 C6	
rdon Rd. TN6	18 D4	Southview Clo. TN6	18 C5	
ange Clo. TN6	18 C5	Southview Rd. TN6	18 C6	
aycoats Dri. TN6	18 D4	Springfield Clo. TN6	19 F4	
een La. TN6	19 F4	Springhead Way. TN6	18 C6	
een Rd. TN6	19 F4	Starfield. TN6	18 C5	
recombe Rise. TN6	18 C6	Station Rd. TN6	19 G6	
recombe Road. TN6	18 C6	Stonecott Clo. TN6	18 D6	
rlequin La. TN6	18 C6	Swift Clo. TN6	18 B5	
rlequin Rd. TN6	18 C6	Sybron Way. TN6	19 H6	
rlequin Pl. TN6	18 C6	Tanners Way. TN6	19 E5	
ather Walk. TN6	19 G6	The Close. TN6	18 C3	
avegate Rd. TN6	18 A5	The Farthings. TN6	19 E3	
rne Rd. TN6	18 D6	The Glebelands. TN6	18 D4	
gh Cross Flds. TN6	18 D3	The Green. TN6	18 D4	
gh St. TN6	18 D3	The Grove. TN6	18 C5	
ghlands Clo. TN6	18 C3	The Martlets. TN6	18 D5	
lers Farm Clo. TN6	19 F5	The Meadows. TN6	18 D4	
Clo. TN6	18 C6	The Park. TN6	18 D4	
Rise. TN6	19 F4	The Twitten. TN6	18 C5	
adleys La. TN6	18 B1	Tollwood Pk. TN6	19 F5	
okswood Clo. TN6	19 E3	Tollwood Rd. TN6	19 F6	
ntingdon Rd. TN6	18 D6	Trenches Rd. TN6	18 D5	
dehurst Clo. TN6	18 D5	Troy Clo. TN6	18 D5	
DUSTRIAL ESTATES:		Twyfords. TN6	18 D5	
Lexden Lodge Ind Est. TN6	19 G6	Valley Rd. TN6	18 D5	
Millbrook Bus. Park. TN6	19 H6	Valley View Clo. TN6	18 D5	
hams Wood. TN6	18 C2	Victoria Rd. TN6	19 G6	
rdine Ct. TN6	18 D4	Wallis Clo. TN6	19 E5	
fferies Way. TN6	19 E6	Warren Gdns. TN6	18 C4	
mps Farm Rd. TN6	18 C3	Warren Rd. TN6	18 A5	
gs Chase. TN6	18 C4	Wealden Clo. TN6	18 D3	
gs Court. TN6	18 B4	Wellesley Clo. TN6	18 B5	
ks Clo. TN6	18 C5	West Beeches Rd. TN6	19 E5	
le Paddocks. TN6	18 D5	West Way. TN6	18 C2	
le Sunnyside. TN6	18 C1	Whincroft Pk. TN6	18 B6	
rdswell La. TN6	18 C6	Whitehill Clo. TN6	18 D5	
wer Saxonbury. TN6	18 D4	Whitehill Rd. TN6	18 D5	
xfield Gdns. TN6	19 F5	Wilderness Park. TN6	18 C4	
xford Dri. TN6	19 E6	Windsor Pl. TN6	19 G6	
xford La. TN6	19 E6	Windsor Rd. TN6	19 G6	
xford Rd. TN6	19 E6	Wolfe Clo. TN6	19 E6	
nor Way. TN6	18 C6	Woodside. TN6	18 C4	
rdens Hill. TN6	18 A1			
ynards Mead. TN6	19 E6			
dway. TN6	19 G5			
lfort Rd. TN6	18 B5			
l Cres. TN6	18 D3			
l Dri. TN6	18 D4			
l La. TN6	18 C4			
lbrook Rd. TN6	19 E3			
ntargis Way. TN6	18 D5			
rtle Rd. TN6	18 D5			
vill Rd. TN6	18 D3			
w Rd. TN6	18 D3			
rbury Clo. TN6	18 C2			
rth Beeches Rd. TN6	19 E5			
e Clo. TN6	18 D5			
khurst Clo. TN6	19 E3			
klands. TN6	19 E5			
klye Rd. TN6	18 A4			
d La, Poundfield. TN6	19 F5			
d La, St. Johns. TN6	18 B3			
ver Clo. TN6	19 E5			
borne Hil. TN6	19 G6			
borne Rd. TN6	19 F6			
esgate La. TN6	19 F3			
k Cres. TN6	18 D3			
k La. TN6	18 D3			
k Rd. TN6	18 D3			
e Gro. TN6	18 C4			
ewood Chase. TN6	18 B3			
asant View Rd. TN6	18 D2			
undfield Rd. TN6	19 F4			
tts Folly La. TN6	18 C5			
eens Hill. TN6	18 D6			
nnoch Rd. TN6	18 B4			
nnoch Rd West. TN6	18 B4			
chester Way. TN6	19 F5			
ckington Way. TN6	19 E6			
dwell. TN6	19 G6			
therfield Rd. TN6	19 H6			

DITCHLING

Barnfield Gdns. BN6	35 C6
Beacon Hurst. BN6	35 A5
Beacon Rd. BN6	35 B6
Boddingtons La. BN6	35 B6
Church Mead. BN6	35 A5
Damian Way. BN6	35 A4
East End La. BN6	35 B5
East Gdns. BN6	35 C5
Farm La. BN6	35 C5
Fieldway. BN6	35 C5
High St. BN6	35 A5
Keymer Rd. BN6	35 A5
Lewes Rd. BN6	35 C5
Lodge Hill La. BN6	35 B4
Long Park Cnr. BN6	35 B6
Mulberry Clo. BN6	35 C5
Nevill Cotts. BN6	35 A6
New Rd. BN6	35 B5
North End. BN6	35 B5
Orchard La. BN6	35 B4
Shirleys. BN6	35 D6
Silverdale. BN6	35 A5
South St. BN6	35 B5
Spatham La. BN6	35 D6
The Crescent. BN6	35 A5
The Dymocks. BN6	35 C5
West St. BN6	35 B5

EASTBOURNE

Abbey Rd. BN20	20 A1
Addingham Rd. BN22	21 H1

Albert Ter. BN20	20 B1	Dittons Rd. BN21	21 E3
Albion Rd. BN22	21 G1	Downside Clo. BN20	20 B2
Alfriston Clo. BN20	20 C3	Dudley Rd. BN22	21 G1
Arlington Rd. BN21	21 E2	Dursley Rd. BN22	21 G2
Arundel Rd. BN21	21 E2	East Dean Rd. BN20	20 A4
Ascham Pl. BN20	20 D4	Edensor Rd. BN20	20 C6
Ascot Clo. BN20	21 E5	Elms Av. BN21	21 G3
Ashburnham Gdns. BN21	20 D1	Elms Rd. BN21	21 G3
Ashburnham Rd. BN21	20 D1	Enys Rd. BN21	21 E2
Ashford Rd. BN21	21 F2	Eshton Rd. BN22	21 H1
Ashford Sq. BN21	21 F2	Eton Mews. BN21	21 F2
Avenue La. BN21	21 F2	Eversfield Rd. BN21	21 E1
Avondale Rd. BN22	21 G1	Fairfield Rd. BN20	20 D5
Bakers Rd. BN21	20 D2	Fairway Clo. BN20	20 C3
Bakewell Rd. BN21	20 C1	Firle Rd. BN22	21 G1
Barcombe Clo. BN20	20 B2	Fitzgerald Clo. BN20	21 E5
Barcombe Walk. BN20	20 B2	Foredown Clo. BN20	20 B3
Barden Rd. BN22	21 H1	Furness Rd. BN21	21 E3
Baslow Rd. BN20	20 C6	Garden Mews. BN20	20 D5
Bath Rd. BN21	21 E3	Gaudick Clo. BN20	20 D5
Bay Pond Rd. BN21	20 D2	Gaudick Rd. BN20	20 D4
Bayham Rd. BN21	21 H2	Gilbert Rd. BN22	21 G1
Beachy Head Rd. BN20	20 B6	Gildredge Rd. BN21	21 F3
Beamsley Rd. BN22	21 H1	Glebe Rd. BN20	20 C2
Beatrice La. BN21	21 E2	Glenmore Mews. BN21	21 F2
Bedford GroS. BN21	21 E1	Gore Park Av. BN21	20 D1
Bedford Well Rd. BN22	21 F1	Gore Park Rd. BN21	20 C1
Beechwood Cres. BN20	20 D2	Gorringe Rd. BN22	21 F1
Beechy Av. BN20	20 B1	Grand Parade. BN21	21 F4
Beechy Gdns. BN20	20 B1	Grange Rd. BN21	21 F3
Belmore Rd. BN22	21 G1	Granville Rd. BN20	21 E4
Beltring Rd. BN22	21 G1	Grassington Rd. BN20	21 E3
Beltring Ter. BN22	21 G1	Green St. BN21	20 B1
Beristede Clo. BN20	21 E4	Greenfield Rd. BN21	20 C2
Bernards La. BN21	21 E2	Greys Rd. BN20	20 C2
Birling St. BN21	20 C1	Grove Rd. BN21	21 E3
Blackwater Rd. BN20	21 E4	Halton Rd. BN22	21 H1
Bodmin Clo. BN20	20 B2	Hanover Rd. BN22	21 H1
Bolsover Rd. BN20	21 E5	Hardwick Rd. BN21	21 F3
Bolton Rd. BN21	21 F3	Hartfield La. BN21	21 F3
Borough La. BN20	20 D2	Hartfield Rd. BN21	21 E2
Bourne St. BN21	21 G2	Hartington Pl. BN21	21 F3
Bradford St. BN21	20 C2	Havelock Rd. BN22	21 G1
Brightland Rd. BN20	20 C2	High St. BN21	20 D2
Brodie Pl. BN21	20 D2	Hoad Rd. BN22	21 G1
Broomfield St. BN21	20 B2	Holbrook Clo. BN20	20 D6
Burfield Rd. BN22	21 G2	Holywell Clo. BN20	20 D6
Burlington Pl. BN21	21 F3	Holywell Rd. BN20	20 D6
Burlington Rd. BN21	21 G3	Howard Sq. BN21	21 F4
Burrowdown. BN20	20 A1	Hurst La. BN21	20 D1
Buxton Rd. BN20	20 D5	Hurst Rd. BN21	20 D1
Calverley Rd. BN21	21 F3	Hyde Gdns. BN21	21 F3
Cambridge Rd. BN22	21 H2	Hyde Rd. BN21	21 E3
Camden Rd. BN21	21 E3	Hyde Tynings Clo. BN20	20 C5
Carew Rd. BN21	21 E1	Ivy La. BN21	21 E2
Carlisle Rd. BN20	20 C5	Ivy Ter. BN21	21 F3
Carlton Rd. BN22	21 H1	Jephson Clo. BN20	21 E5
Cavendish Av. BN22	21 G2	Jevington Gdns. BN21	21 F4
Cavendish Rd. BN21	21 G2	Junction Rd. BN21	21 F2
Ceylon Pl. BN21	21 G2	Kerrara Ter. BN22	21 G1
Chamberlain Rd. BN21	20 C1	Kilda St. BN22	21 G1
Charleston Rd. BN21	20 C1	King Edwards Par. BN20	21 E6
Chatsworth Gdns. BN20	21 E5	Kirk Way. BN20	20 A1
Chawbrook Rd. BN22	21 G1	Laleham Clo. BN21	20 D1
Cherry Garden Rd. BN20	20 B2	Langney Road. BN21	21 G3
Chesterfield Gdns. BN20	21 E5	Lascelles Ter. BN21	21 F4
Chesterfield Rd. BN20	20 D5	Latimer Rd. BN22	21 H2
Chiswick Pl. BN21	21 F3	Lawns Av. BN21	20 D2
Church La. BN21	20 D2	Le Brun Rd. BN21	21 E1
Church St. BN21	20 C2	Leaf Hall Rd. BN22	21 G2
Churchill Clo. BN20	20 D2	Leaf Rd. BN21	21 F2
Clarence Rd. BN22	21 G1	Leslie St. BN22	21 G1
Cliff Rd. BN20	20 D6	Letheren Pl. BN21	20 C2
College Rd. BN21	21 F3	Lewes Rd. BN21	21 E1
Collington Clo. BN20	21 E5	Lincoln Clo. BN20	20 B5
Colonnade Gdns. BN21	21 G3	Lindsay Clo. BN20	20 B3
Colt Stocks Rd. BN20	20 D5	Link Rd. BN20	20 B1
Commercial Rd. BN21	21 F2	Lion La. BN21	21 G3
Compton Dri. BN20	20 D2	Lismore Rd. BN21	21 F3
Compton Place Rd. BN20	20 D2	Longland Rd. BN20	20 B1
Compton St. BN21	21 F4	Longstone Rd. BN21	20 C5
Connaught Rd. BN21	21 F3	Lordslaine Clo. BN20	20 D2
Coombe La. BN20	20 C6	Love La. BN20	20 D2
Coombe Road. BN20	20 B1	Lower Rd. BN21	20 D1
Cornfield La. BN21	21 F3	Lushington La. BN21	21 F3
Cornfield Rd. BN21	21 F3	Lushington Rd. BN21	21 F3
Cornfield Ter. BN21	21 F3	Manifold Rd. BN22	21 G1
Cranborne Av. BN21	20 B5	Manvers Rd. BN20	20 B2
Crown St. BN21	20 D2	Marine Par. BN21	21 G3
Crunden Rd. BN21	20 B1	Marine Parade Rd. BN22	21 G2
Dacre Rd. BN21	20 B2	Marine Rd. BN22	21 G2
Dalton Rd. BN21	20 D5	Mark La. BN21	21 F3
Darley Rd. BN20	20 C5	Matlock Rd. BN20	20 D5
De Roos Rd. BN21	20 D1	Mayfield Pl. BN22	21 F1
De Walden Mews. BN20	20 D5	Meads Brow Clo. BN20	20 C6
Den Hill. BN20	20 A1	Meads Rd. BN20	20 D6
Denton Rd. BN20	20 D5	Meads St. BN20	20 D6
Derwent Rd. BN20	20 D5	Melbourne Rd. BN22	21 G1
Devonshire Pl. BN21	21 F3	Michel Gro. BN21	20 D2
Dillingburgh Rd. BN20	20 B1	Mill Gap Rd. BN21	21 E1

59

Street	Ref
Mill Rd. BN21	20 D1
Milnthorpe Rd. BN20	20 D5
Milton Cres. BN21	20 C1
Milton Rd. BN21	20 B1
Moat Croft Rd. BN21	20 D2
Mona Rd. BN22	21 G1
Monceux Rd. BN21	20 C1
Motcombe La. BN21	20 D1
Motcombe Rd. BN21	20 C2
Mount Rd. BN20	21 E5
Mountney Rd. BN21	20 C1
Moy Av. BN22	21 G1
Naomi Clo. BN20	20 D4
Neville Rd. BN22	21 G1
New Pl. BN21	20 C2
New Rd. BN22	21 G2
New Upperton Rd. BN21	20 D2
North St. BN21	21 G3
Northiam Rd. BN20	20 B1
Ocklynge Av. BN21	20 D1
Ocklynge Rd. BN21	20 D1
Okehurst Rd. BN21	20 C2
Old Camp Rd. BN20	20 B3
Old Motcombe Mews. BN21	20 C2
Old Orchard Rd. BN21	21 E3
Old Wish Rd. BN21	21 E4
Osbourne Rd. BN20	20 B2
Oxford Rd. BN22	21 G1
Paradise Clo. BN20	20 C3
Paradise Dri. BN20	20 C4
Park Clo. BN20	20 D2
Parsonage Rd. BN21	20 C2
Pashley Rd. BN20	20 B3
Peppercombe Rd. BN20	20 B2
Pevensey Rd. BN21	21 G2
Prospect Gdns. BN21	20 D1
Queens Gdns. BN21	21 G3
Ratton Rd. BN21	20 D1
Ravenscroft. BN20	21 E5
Rectory Clo. BN20	20 C2
Redoubt Rd. BN22	21 H1
Regency Mews. BN20	21 F5
Ridgelands Clo. BN20	20 B3
Roborough Clo. BN21	21 F1
Rochester Clo. BN20	20 B5
Rowsley Rd. BN20	20 C6
Royal Parade. BN22	21 H2
Rylstone Rd. BN22	21 H1
Saffrons Pk. BN20	21 E4
Saffrons Rd. BN21	21 E3
St Annes Rd. BN21	21 E1
St Aubyns Rd. BN22	21 H2
St Georges Rd. BN22	21 G1
St Gregorys Clo. BN20	20 D5
St James Rd. BN22	21 H1
St Johns Rd. BN20	20 D5
St Leonards Pl. BN20	20 C2
St Leonards Rd. BN21	21 F2
St Marys Rd. BN21	20 C1
St Vincents Pl. BN20	20 D4
Salehurst St. BN21	20 C1
Salisbury Rd. BN20	20 C5
Sancroft Rd. BN20	20 B2
Seaside. BN22	21 G2
Seaside Rd. BN21	21 G3
Selby Rd. BN21	20 D1
Selwyn Dri. BN21	20 D1
Selwyn Rd. BN21	20 D1
Sheen Rd. BN22	21 G2
Sheraton Clo. BN21	21 E3
Shortdean Pl. BN21	20 C1
Sidley Rd. BN22	21 H1
Silverdale Rd. BN20	21 E4
South Av. BN20	20 B1
South Cliff. BN20	21 E5
South Cliff Av. BN20	21 F5
South Lynn Dri. BN21	21 E1
South St. BN21	21 E3
Southfields Rd. BN21	21 E2
Spencer Rd. BN21	21 F3
Springfield Rd. BN22	21 G1
Stanley Rd. BN22	21 G1
Stansted Rd. BN22	21 G1
Star Rd. BN21	20 D2
Station St. BN21	21 F3
Staveley Rd. BN20	21 E5
Summerdown Clo. BN20	20 C3
Summerdown Rd. BN20	20 C2
Susans Rd. BN21	21 F2
Sutton Rd. BN21	21 F2
Sydney Rd. BN22	21 G2
Taddington Rd. BN22	21 H1
Terminus Rd. BN21	21 F3
The Avenue. BN21	21 E2
The Conifers. BN21	21 F1
The Dentons. BN21	20 D5
The Goffs. BN21	20 D2
The Greys. BN20	20 D2
The Sanctuary. BN20	20 A1
The Village. BN20	20 D5

Street	Ref
Tideswell Rd. BN21	21 G2
Torfield Rd. BN21	21 E1
Trinity Pl. BN21	21 G3
Trinity Trees. BN21	21 F3
Upland Rd. BN20	20 B3
Upper Avenue. BN21	21 F2
Upper Carlisle Rd. BN20	20 C5
Upper Dukes Dri. BN20	20 C6
Upperton Gdns. BN21	21 E2
Upperton La. BN21	21 E2
Upperton Rd. BN21	20 D1
Upwick Rd. BN20	20 C2
Vicarage Dri. BN20	20 C2
Vicarage La. BN20	20 C2
Vicarage Rd. BN20	20 C2
Victoria Dri. BN20	20 B1
Victoria Gdns. BN20	20 B1
Victoria Rd. BN20	20 B1
Warren Clo. BN20	20 C5
Warren Hill. BN20	20 B5
Warrior Sq. BN22	21 H1
Waterworks Rd. BN22	21 G1
Watts La. BN21	20 D1
Wellcombe Cres. BN20	20 C6
Wellesley Rd. BN21	21 G2
Wells Clo. BN20	20 B5
West St. BN21	21 F3
West Ter. BN21	21 F3
Western Rd. BN22	21 G1
Wharf Rd. BN21	21 E2
Whitley Rd. BN22	21 F1
Willingdon Rd. BN21	20 D1
Willowfield Rd. BN22	21 G2
Willowfield Sq. BN22	21 G2
Wilmington Gdns. BN21	21 F4
Wilmington Sq. BN21	21 F4
Winchcombe Rd. BN22	21 G2
Wish Rd. BN21	21 F3
York Rd. BN21	21 E3

FAIRLIGHT

Street	Ref
Battery Hill. TN35	22 B2
Blackthorne Way. TN35	22 E3
Bramble Way. TN35	22 E3
Briar Clo. TN35	22 F2
Broad Way. TN35	22 E2
Channel Way. TN35	22 E3
Cliff Way. TN35	22 F2
Clinton Way. TN35	22 F2
Coastguard La. TN35	22 B2
Commanders Walk. TN35	22 E3
Fairlight Gdns. TN35	22 E2
Fairlight Rd. TN35	22 A3
Farley Way. TN35	22 D2
Fyrs Way. TN35	22 D3
Gorsethorn Way. TN35	22 E3
Heather Way. TN35	22 E3
Hill Rd. TN35	22 B2
Knowle Av. TN35	22 D2
Knowle Rd. TN35	22 D2
Lower Waites La. TN35	22 E2
Meadow Way. TN35	22 E3
New Rd, TN35	22 C3
Peter James La. TN35	22 B1
Pett Level Rd. TN35	22 E1
Primrose Hill. TN35	22 F2
Rockmead Rd. TN35	22 E3
Rosemary La. TN35	22 F2
Sea Rd. TN35	22 F2
Shepherds Way. TN35	22 E3
Smugglers Way. TN35	22 E3
Stream La. TN35	22 F1
The Avenue. TN35	22 F2
The Close. TN35	22 B3
Waites La. TN35	22 E2
Warren Rd. TN35	22 B3
Woodland Way. TN35	22 D2

FOREST ROW

Street	Ref
Allens Clo. RH19	23 B1
Ashdown Clo. RH18	23 D5
Ashdown Rd. RH18	23 B1
Balfour Gdns. RH18	23 C6
Beeches La. RH19	23 A1
Blacklands Cres. RH18	23 D5
Blenheim Field. RH18	23 C4
Box La. RH19	23 B1
Broadstone. RH18	23 B5
Cage Ridge. RH18	23 B5
Chapel La. RH19	23 B1
Chapel La RH18	23 D5
Chequer Clo. RH18	23 C6

Street	Ref
Colchester Vale. RH18	23 B5
Dale Rd. RH18	23 C5
Dirty La. RH18	23 B1
Freshfield Bank. RH18	23 B5
Gilhams La. RH18	23 C4
Hammerwood Rd. RH19	23 B1
Hartfield Rd. RH18	23 C4
Hatch End. RH18	23 C5
Highfields. RH18	23 C5
Highgate Rd. RH18	23 C6
INDUSTRIAL ESTATES:	
Forest Row Business Park. RH18	23 D4
Ink Pen La. RH18	23 C6
Ivydene La. RH19	23 A1
Kidbrooke Rise. RH18	23 B5
Lewes Rd. RH19	23 A1
Lower Rd. RH18	23 C4
Maypole Rd. RH19	23 B1
Medway Clo. RH18	23 D5
Medway Dri. RH18	23 D5
Michaels Fields. RH18	23 B5
Newlands Pl. RH18	23 C4
Oakwood Park. RH18	23 C5
Park Cres. RH18	23 D5
Park La. RH19	23 A1
Park Rd. RH18	23 D5
Phoenix La. RH19	23 B1
Post Horn La. RH18	23 D5
Primrose La. RH18	23 D6
Priory Rd. RH18	23 B5
Riverside. RH18	23 B4
School La. RH19	23 B1
School La. RH18	23 C5
Shalesbrook La. RH18	23 D6
Spring Meadows. RH18	23 C6
Station Rd. RH18	23 C4
Stonedene Clo. RH18	23 D5
Stonepark Dri. RH18	23 D5
Swan Ghyll. RH18	23 C4
Tompsets Bank. RH18	23 C6
Upper Clo. RH18	23 C5
Upper Hillside Sq. RH18	23 C4
Wall Hill Rd. RH19	23 A1
Woodcote Rd. RH18	23 A1
Woods Hill Clo. RH19	23 A1
Woods Hill La. RH19	23 A1
Wray Clo. RH19	23 B1

HAILSHAM

Street	Ref
Acorn Grn. BN27	24 D4
Amberstone Vw. BN27	24 E3
Anglesey Av. BN27	24 C4
Antares Path. BN27	25 F6
Archery Walk. BN27	25 E7
Arlington Rd East. BN27	25 C7
Arlington Rd West. BN27	25 A7
Arran Clo. BN27	24 C3
Arundel Clo. BN27	24 E3
Ash Ct. BN27	25 C6
Ashley Gdns. BN27	24 E3
Ashburnham Clo. BN27	24 C3
Ashford Clo. BN27	25 E6
Barn Clo. BN27	24 E4
Battle Cres. BN27	25 D5
Battle Rd. BN27	25 D5
Bayham Rd. BN27	25 E6
Beckenham Clo. BN27	24 D3
Beechwood Clo. BN27	25 E8
Bell Banks Rd. BN27	25 E6
Beuzeville Av. BN27	25 D5
Bexley Clo. BN27	24 D4
Birch Way. BN27	25 D7
Blacksmiths Copse. BN27	25 C7
Blossom Walk. BN27	24 D4
Bowley Rd. BN27	25 E7
Bramble Dri. BN27	25 C6
Bushyfields. BN27	25 E7
Butts Field. BN27	25 E7
Caburn Way. BN27	24 C4
Cacklebury Clo. BN27	25 C7
Capella Path. BN27	25 F6
Carpenters Way. BN27	25 C7
Carriers Path. BN27	25 D6
Chapel Barn Clo. BN27	25 E6
Cherryside. BN27	25 E6
Chestnut Clo. BN27	24 C4
Clyde Park. BN27	25 D8
Coldthorn La. BN27	25 D8
Compton Ter. BN27	25 C5
Coopers Way. BN27	25 C7
Cornfield Grn. BN27	24 E4
Croft Wood. BN27	25 D6
Cromer Way. BN27	24 C4
Cuckoo Walk. BN27	24 D4
Dacre Park. BN27	25 F6

Street	Ref
Danum Clo. BN27	2
Derwent Clo. BN27	2
Diplocks Way. BN27	2
Ditchling Way. BN27	2
Douglas Clo. BN27	2
Downs View Way. BN27	2
Dunbar Dri. BN27	2
Eastwell Pl. BN27	2
Elm Grn. BN27	2
Elmsdown Pl. BN27	2
Ersham Rd. BN27	2
Ersham Way. BN27	2
Factory La. BN27	2
Fair Isle Clo. BN27	2
Falcon Way. BN27	2
Farmland Way. BN27	2
Farne Clo. BN27	2
Fern Grn. BN27	2
Fir Tree Clo. BN27	2
Forest View. BN27	2
Freshfield Clo. BN27	2
Garfield Rd. BN27	2
Geering Pk. BN27	2
Gemma Clo. BN27	2
George St. BN27	2
Gilbert Way. BN27	2
Gleneagles Dri. BN27	2
Goodwin Clo. BN27	2
Gordon Rd. BN27	2
Green Gro. BN27	2
Green Walk. BN27	2
Greenacres Dri. BN27	2
Greenacres Way. BN27	2
Greenfields. BN27	2
Greenwich Rd. BN27	2
Grovelands Rd. BN27	2
Hailsham By-Pass. BN27	2
Hailsham Rd. BN27	2
Halley Pk. BN27	2
Hamelsham Ct. BN27	2
Hanover Ct. BN27	2
Harebeating Clo. BN27	2
Harebeating Cres. BN27	2
Harebeating Dri. BN27	2
Harebeating Gdns. BN27	2
Harebeating La. BN27	2
Harmers Hay Rd. BN27	2
Hawkins Way. BN27	2
Hawks Farm Clo. BN27	2
Hawks Rd. BN27	2
Hawkstown Cres. BN27	2
Hawkstown Gdns. BN27	2
Hawkstown View. BN27	2
Hawkswood Dri. BN27	2
Hawkswood Rd. BN27	2
Hawthylands Cres. BN27	2
Hawthylands Dri. BN27	2
Hawthylands Rd. BN27	2
Hayland Grn. BN27	2
Hempstead La. BN27	2
High St. BN27	2
Hollamby Pk. BN27	2
Holly Clo. BN27	2
Honeysuckle Clo. BN27	2
Howard Clo. BN27	2
Howletts Dri. BN27	2
Ilex Grn. BN27	2
INDUSTRIAL ESTATES:S	
Hailsham Ind Park. BN27	2
Ipex Park. BN27	2
Station Rd Ind Est. BN27	2
Swan Farm Business Centre. BN27	2
Ingrams Way. BN27	2
Jasmine Grn. BN27	2
Knights Gdn. BN27	2
Laburnam Grn. BN27	2
Landsdowne Cres. BN27	2
Landsdowne Rd. BN27	2
Landsdowne Way. BN27	2
Lansdowne Dri. BN27	2
Lansdowne Gdns. BN27	2
Lepelands. BN27	2
Linden Gro. BN27	2
Lindfield Dri. BN27	2
Little Marshfoot La. BN27	2
London Rd. BN27	2
Lower Horsebridge Rd. BN27	2
Lundy Wk. BN27	2
Magham Rd. BN27	2
Manor Park Clo. BN27	2
Manor Park Rd. BN27	2
Maple Ct. BN27	2
Mare Bay Clo. BN27	2
Market Pl. BN27	2
Market Sq. BN27	2
Market St. BN27	2
Marshfoot La. BN27	2
Meadow Clo. BN27	2
Meadow Rd. BN27	2

HASTINGS

The Spinney. TN34	26 A4
Tilekiln La. TN35	27 G1
Torfield Clo. TN34	26 D4
Trinity St. TN34	26 B5
Upper Broomgrove Rd. TN34	26 D2
Upper Park Rd. TN37	26 A3
Valley Side Rd. TN35	27 E2
Vicarage Rd. TN34	26 C4
Victoria Av. TN35	27 E1
View Bank. TN35	27 F3
Waldegrave St. TN34	26 C5
Waldene Clo. TN34	26 C2
Watermens Clo. TN34	26 B2
Waterside Clo. TN35	27 E2
Waterworks Rd. TN34	26 C4
Wellington Mws. TN34	26 C5
Wellington Pl. TN34	26 B5
Wellington Rd. TN34	26 C5
Wellington Sq. TN34	26 C5
West St. TN34	26 D5
West View. TN34	26 D3
Westminster Cres. TN34	26 D1
White Rock. TN34	26 A6
White Rock Gdns. TN34	26 B6
White Rock Rd. TN34	26 A6
Whitefriars Rd. TN34	26 C4
Whittingtons Way. TN34	26 C1
Willow End. TN34	26 C1
Wilmington Rd. TN34	26 C2
Winchelsea Rd. TN35	27 F1
Winterbourne Clo. TN34	26 A4
Woodbrook Rd. TN34	26 B2
Wykeham Rd. TN34	26 A4
York Gdns. TN34	26 B5

HEATHFIELD

Alder Clo. TN21	28 C4
Alexandra Rd. TN21	28 D3
All Saints Gdns. TN21	28 B2
Aspen Walk. TN21	28 D4
Battle Rd. TN21	28 E1
Baytree Clo. TN21	28 D4
Beechwood La. TN21	28 E4
Beeches Clo. TN21	28 D2
Birch Way. TN21	28 C4
Browning Rd. TN21	28 C2
Burwash Rd. TN21	28 D1
Cherry Gdns. TN21	28 D4
Cherwell Rd. TN21	28 C1
Church App. TN21	28 F4
Churchill Rd. TN21	28 D3
Collingwood Av. TN21	28 C2
Collingwood Rise. TN21	28 C2
Coppice View. TN21	28 D3
Cuckmere Rise. TN21	28 C2
Cuckoo Dri. TN21	28 C3
Davenport Pk. TN21	28 C2
Downsview. TN21	28 D2
Edge Hill. TN21	28 B2
Elm Way. TN21	28 D3
Fairoak Clo. TN21	28 C2
Firwood Clo. TN21	28 C1
Firwood Rise. TN21	28 C1
Frenches Farm Dri. TN21	28 C4
Geers Wood. TN21	28 B3
Ghyll Rd. TN21	28 B3
Gibraltar Rise. TN21	28 C2
Green La. TN21	28 D3
Hailsham Rd. TN21	28 C4
Halley Rd. TN21	28 F2
Harley La. TN21	28 C3
Hawthorn Clo. TN21	28 D3
High St. TN21	28 A2
Highcroft Cres. TN21	28 C2
Holly Clo. TN21	28 C3
Holly Dri. TN21	28 C3
Idens La. TN21	28 F1
Kennedy Clo. TN21	28 D3
Larch Clo. TN21	28 D4
Leeves Clo. TN21	28 C3
Leeves Way. TN21	28 C3
Lennox Ct. TN21	28 C1
Lime Way. TN21	28 D3
Longview. TN21	28 C4
Magnolia Clo. TN21	28 D4
Marklye La. TN21	28 D1
Marshlands La. TN21	28 C1
Meadow Way. TN21	28 C3
Mileston. TN21	28 C1
Mill Clo. TN21	28 B2
Mill Rise. TN21	28 C1
Mill Road. TN21	28 B2
Mulberry Way. TN21	28 D4
Mutton Hall Hill. TN21	28 C1
Mutton Hall La. TN21	28 C1
New Rd. TN21	28 C4

Newick La. TN21	28 E1
Newnham Way. TN21	28 C2
Newpond Hill. TN21	28 A2
Nursery Way. TN21	28 A2
Old Ghyll Rd. TN21	28 C4
Pages Clo. TN21	28 A2
Pages Hill. TN21	28 A2
Park Rd. TN21	28 D3
Parkside. TN21	28 D3
Pine Tree Rd. TN21	28 C3
Pook Reed Clo. TN21	28 B3
Pook Reed La. TN21	28 A3
Prospect Rd. TN21	28 C3
Ridgeway Clo. TN21	28 C1
Rowan Clo. TN21	28 C4
Sandy Cross Cotts. TN21	28 C4
Sandy Cross La. TN21	28 C4
Sheepsetting La. TN21	28 A2
Spring Bank. TN21	28 D1
Springwood Rd. TN21	28 B1
Star La. TN21	28 F4
Station App. TN21	28 C2
Station Rd. TN21	28 C2
Stonegate Way. TN21	28 D1
Streatfield Gdns. TN21	28 B1
Streatfield Rd. TN21	28 B1
Swaines Way. TN21	28 C3
Sycamore Clo. TN21	28 D3
The Oaks. TN21	28 D3
The Spinney. TN21	28 D3
Theobalds Grn. TN21	28 C4
Tilsmore Rd. TN21	28 B2
Tower St. TN21	28 D1
Upper Station Rd. TN21	28 D3
Vale View Rd. TN21	28 D3
Waldron Thorns. TN21	28 C3
Walnut Clo. TN21	28 D3
Wayside Wk. TN21	28 B3
Wealdview Rd. TN21	28 A2
Windmill Clo. TN21	28 D1
Woodland Mews. TN21	28 D3
Woodland Way. TN21	28 D3
Woodlands Clo. TN21	28 D4
Wren Clo. TN21	28 C2
Yew Tree Clo. TN21	28 C3

HERSTMONCEUX

Bagham La. BN27	29 B2
Buckwell Rise. BN27	29 A2
Chapel Row. BN27	29 B3
Chestnut Clo. BN27	29 A2
Church Rd. BN27	29 B3
Comphurst La. BN27	29 D3
Coombe Rd. BN27	29 D2
Dacre Rd. BN27	29 A2
Dales Clo. BN27	29 D3
Elmhurst Gdns. BN27	29 A2
Fairfield. BN27	29 A1
Fairlawns Dri. BN27	29 A2
Fiennes Rd. BN27	29 A2
Gardner St. BN27	29 B2
Hailsham Rd. BN27	29 A3
Highview Clo. BN27	29 D3
Hurst La. BN27	29 D2
James La. BN27	29 A1
Joes La. BN27	29 D2
Middle Way. BN27	29 D2
Monceux Rd. BN27	29 A1
Nursery La. BN27	29 D2
Queens Rd. BN27	29 A2
The Ridgeway. BN27	29 A2
Victoria Rd. BN27	29 D2
West End. BN27	29 A1
Windmill Hill. BN27	29 C2

HORAM

Beauford Rd. TN21	29 B5
Bridge Clo. TN21	29 C5
Downline Clo. TN21	29 C5
Grange Clo. TN21	29 B6
Hailsham Rd. TN21	29 B6
Highfield Rd. TN21	29 B5
Hillside Dri. TN21	29 B5
Horam Park Clo. TN21	29 C5
Horebeech La. TN21	29 B5
Little London Rd. TN21	29 A4
Manor Clo. TN21	29 B5
Manor Rd. TN21	29 B5
Millbrook Clo. TN21	29 C5
Paynsbridge Way. TN21	29 C5
The Avenue. TN21	29 B4
Toll Wood Rd. TN21	29 B5

Vines Cross Rd. TN21	29 C5

HOVE

Acacia Av. BN3	30 B3
Albany Mews. BN3	30 D6
Albany Vil. BN3	30 D6
Albert Mews. BN3	30 D6
Albert St. BN3	30 C4
Aldrington Av. BN3	30 B3
Alpine Rd. BN3	30 B4
Amberley Clo. BN3	30 A1
Amberley Dri. BN3	30 A1
Amesbury Cres. BN3	30 A4
Amherst Cres. BN3	30 B3
Applesham Av. BN3	30 A2
Arthur St. BN3	30 B4
Ashlings Way. BN3	30 A1
Aymer Rd. BN3	30 C5
Beeding Av. BN3	30 B1
Belfast St. BN3	30 C5
Benett Av. BN3	30 D1
Benett Dri. BN3	30 D1
*Benham Ct,	
Kings Esp. BN3	30 C6
Benson Ct. BN3	30 A4
Berriedale Av. BN3	30 A6
Blatchington Rd. BN3	30 C5
Bolsover Rd. BN3	30 A4
Braemore Rd. BN3	30 A6
Bramber Av. BN3	30 A1
Brooker Pl. BN3	30 C5
Brooker St. BN3	30 C5
Byron St. BN3	30 C4
Carlisle Rd. BN3	30 B6
Chartfield. BN3	30 C2
Church Rd. BN3	30 C5
Clarendon Rd. BN3	30 C4
Clarendon Villas. BN3	30 C4
Clarke Av. BN3	30 A1
Clayton Way. BN3	30 B1
Cobton Dri. BN3	30 C1
Coleman Av. BN3	30 A5
Coleridge St. BN3	30 C4
Connaught Rd. BN3	30 C5
Connaught Ter. BN3	30 C5
Conway Pl. BN3	30 C4
Conway St. BN3	30 C4
Court Farm Rd. BN3	30 B1
*Courtenay Ter,	
Kingsway. BN3	30 C6
Cowper St. BN3	30 B4
Cranmer Av. BN3	30 B3
Cromwell Rd. BN3	30 D4
Dale Vw. BN3	30 A2
Dallington Rd. BN3	30 A4
Denmark Villas. BN3	30 D5
Downland Cres. BN3	30 B1
Eaton Gdns. BN3	30 D5
Eaton Grove. BN3	30 D4
Eaton Rd. BN3	30 D5
Eaton Villas. BN3	30 D5
Edward Av. BN3	30 C1
Edward Clo. BN3	30 C1
Elizabeth Av. BN3	30 C1
Elizabeth Clo. BN3	30 C1
Ellen St. BN3	30 C4
Elm Dri. BN3	30 A3
English Clo. BN3	30 A3
Eridge Rd. BN3	30 C2
Ethel St. BN3	30 D4
Fallowfield Clo. BN3	30 B1
Fallowfield Cres. BN3	30 A2
Findon Clo. BN3	30 B1
Fonthill Rd. BN3	30 D4
Fourth Av. BN3	30 D6
Frant Rd. BN3	30 C1
Frith Rd. BN3	30 C3
George St. BN3	30 D5
Glendor Rd. BN3	30 A6
Goldstone Clo. BN3	30 C1
Goldstone Cres. BN3	30 B1
Goldstone La. BN3	30 D3
Goldstone Rd. BN3	30 C4
Goldstone St. BN3	30 D4
Goldstone Villas. BN3	30 D4
Goldstone Way. BN3	30 B1
Grand Av. BN3	30 D6
Grange Rd. BN3	30 A4
Haddington St. BN3	30 D5
Hangleton Rd. BN3	30 A1
Hartington Villas. BN3	30 D3
Henfield Way. BN3	30 B1
Hill Dri. BN3	30 D1
Hogarth Rd. BN3	30 A5
Holmes Av. BN3	30 B3
Hova Ter. BN3	30 D5

Hova Villas. BN3	30
Hove Park Gdns. BN3	30
Hove Park Rd. BN3	30
Hove Park Villas. BN3	30
Hove Park Way. BN3	30
Hove Pl. BN3	30
Hove St. BN3	30
INDUSTRIAL ESTATES:	
Sackville Ind Est. BN3	30
Ingram Ct. BN3	30
Ingram Cres East. BN3	30
Ingram Cres West. BN3	30
Isabel Cres. BN3	30
Jesmond Rd. BN3	30
Kendal Rd. BN3	30
Kings Esplanade. BN3	30
Kings Gdns. BN3	30
Kings Mews. BN3	30
Kingsthorpe Rd. BN3	30
Kingston Clo. BN3	30
Kingsway. BN3	30
Laburnam Av. BN3	30
Landseer Rd. BN3	30
Langdale Gdns. BN3	30
Langdale Rd. BN3	30
Lark Hill. BN3	30
Lawrence Rd. BN3	30
Leighton Rd. BN3	30
Lennox Rd. BN3	30
Linton Rd. BN3	30
Lion Mews. BN3	30
Livingstone Rd. BN3	30
Lovegrove Ct. BN3	30
Lullington Av. BN3	30
Mainstone Rd. BN3	30
Malvern St. BN3	30
Mansfield Rd. BN3	30
Maple Gdns. BN3	30
Marine Av. BN3	30
Marmion Rd. BN3	30
Maytree Walk. BN3	30
Meadow Clo. BN3	30
Meadway Cres. BN3	30
Medina Pl. BN3	30
Medina Ter. BN3	30
Medina Villas. BN3	30
Milcote Av. BN3	30
Mill Dri. BN3	30
Milnthorpe Rd. BN3	30
Modena Rd. BN3	30
Molesworth St. BN3	30
Monmouth St. BN3	30
Montgomery St. BN3	30
Mortimer Rd. BN3	30
Moyne Clo. BN3	30
Namrik Mews. BN3	30
Nevill Av. BN3	30
Nevill Clo. BN3	30
Nevill Gdns. BN3	30
Nevill Pl. BN3	30
Nevill Rd. BN3	30
Nevill Way. BN3	30
New Church Rd. BN3	30
Newtown Rd. BN3	30
Norman Rd. BN3	30
North Ease Dri. BN3	30
Norton Clo. BN3	30
Norton Rd. BN3	30
Old Shoreham Rd. BN3	30
Orchard Av. BN3	30
Orchard Gdns. BN3	30
Orchard Rd. BN3	30
Osborne Villas. BN3	30
Park Av. BN3	30
Park Clo. BN3	30
Park Rise. BN3	30
Park View Rd. BN3	30
*Parnell Ct, Medina Pl. BN3	30
Payne Av. BN3	30
Pembroke Av. BN3	30
Pembroke Cres. BN3	30
Pembroke Gdns. BN3	30
Pendragon Ct. BN3	30
Poplar Av. BN3	30
Poplar Clo. BN3	30
Portland Av. BN3	30
Portland Rd. BN3	30
Poynter Rd. BN3	30
Princes Av. BN3	30
Princes Cres. BN3	30
Princes Sq. BN3	30
Prinsep Rd. BN3	30
Ranelagh Villas. BN3	30
Raphael Rd. BN3	30
Reynolds Rd. BN3	30
Richardson Rd. BN3	30
Rowan Av. BN3	30
Ruskin Rd. BN3	30
Rutland Gdns. BN3	30
Rutland Rd. BN3	30

ville Gdns. BN3	30 B6	Barn Rd. BN7	33 F1	**INDUSTRIAL ESTATES:**		Southdown Av. BN7	32 B4
ville Rd. BN3	30 C3	Barons Walk. BN7	32 B4	Cliffe Ind Est. BN7	33 H5	Southdown Pl. BN7	33 G3
ubyns. BN3	30 C6	Barons Down Rd. BN7	32 B5	Malling Brook Ind Est. BN7	33 F2	Southover High St. BN7	32 D5
ubyns Sth. BN3	30 C6	Baxter Rd. BN7	32 C2	Phoenix Ind Est. BN7	33 E3	Southover Rd. BN7	33 E4
Catherines Ter,		Beckett Way. BN7	33 E1	Irelands La. BN7	32 D4	Spences Field. BN7	33 F2
ictoria Ter. BN3	30 C6	Bell La. BN7	32 C5	Juggs Rd. BN7	32 A6	Spences La. BN7	33 E1
eliers Av. BN3	30 A4	Berkeley Row. BN7	32 C5	Keere St. BN7	32 D4	Spital Rd. BN7	32 C4
osephs Clo. BN3	30 C3	Bishops Dri. BN7	32 B4	King Henry Rd. BN7	32 C2	Spring Gdns. BN7	33 E3
atricks Rd. BN3	30 C4	Blois Rd. BN7	32 B1	Kingsley Rd. BN7	32 C2	Stansfield Rd. BN7	32 D2
eters Clo. BN3	30 B1	Boughey Pl. BN7	33 E1	Kingston Rd. BN7	32 C6	Station Rd. BN7	33 E5
ool Rd. BN3	30 B4	Bradford Rd. BN7	32 D4	Lambert Pl. BN7	33 E1	Station St. BN7	33 E4
ield Rd. BN3	30 B4	Bridgewick Clo. BN7	33 E1	Lancaster St. BN7	33 E3	Stewards Inn. BN7	33 E4
kespeare St. BN3	30 C6	Brighton Rd. BN7	32 A5	Landport Rd. BN7	32 C1	Stoneham Clo. BN7	33 E1
ley Rd. BN3	30 B4	Brook St. BN7	33 E3	Lansdown Pl. BN7	33 E4	Sun St. BN7	33 E3
ridan Ter. BN3	30 C4	Brooks Clo. BN7	33 F2	Lee Rd. BN7	32 C2	Talbot Ter. BN7	33 E3
ley Av. BN3	30 D1	Brooks Rd. BN7	33 F2	Leicester Rd. BN7	32 C3	Tanners Brook. BN7	33 E4
ley Dri. BN3	30 D1	Broomans La. BN7	33 E4	Lewes Southern By Pass. BN7	32 A6	The Avenue. BN7	32 D3
ley St. BN3	30 C4	Buckhurst Clo. BN7	33 E1	Little East St. BN7	33 E3	The Course. BN7	32 D5
ford Clo. BN3	30 D2	Buckwell Ct. BN7	32 B1	Love Lane. BN7	32 B5	The Gallops. BN7	32 B4
on App. BN3	30 D4	Bull La. BN7	33 E4	Malling Clo. BN7	33 F1	The Lynchets. BN7	33 G1
ens Ct. BN3	30 A4	Caburn Cres. BN7	32 B2	Malling Down. BN7	33 F1	The Martlets. BN7	33 F1
ning Av. BN3	30 B1	Castle Bank. BN7	33 E4	Malling Hill. BN7	33 F1	The Meadows. BN7	33 F1
ing Rd. BN3	30 C5	Castle Ditch La. BN7	33 E4	Malling St. BN7	33 G3	The Spinneys. BN7	33 G2
eham Rd. BN3	30 B4	Castle Precinct. BN7	33 E4	Mantell Clo. BN7	33 E1	Thomas St. BN7	33 G3
rington Clo. BN3	30 A1	Chapel Hill. BN7	33 G3	Market La. BN7	33 E4	Timber Yd. BN7	33 G4
olk St. BN3	30 B4	Christie Rd. BN7	32 C3	Market St. BN7	33 E4	Toronto Ter. BN7	33 E3
ninghill Av. BN3	30 A1	Church La, Lewes. BN7	32 D4	Mayhew Way. BN7	33 E2	Ty La. BN7	33 G4
ninghill Clo. BN3	30 A1	Church La,		Mealla Cl. BN7	33 E1	Valence Rd. BN7	32 C3
sex Rd. BN3	30 C6	South Malling. BN7	33 E2	Meridian Rd. BN7	32 C2	Valley Rd. BN7	32 C5
dridge Rd. BN3	30 A5	Church Row. BN7	33 E3	Middle Way. BN7	32 B3	Verralls Walk. BN7	32 D5
nis Rd. BN3	30 A5	Church Twitten. BN7	33 E4	Mildmay Rd. BN7	32 C3	Waite Clo. BN7	33 F2
Drive. BN3	30 D5	Churchill Rd. BN7	32 C1	Mill Rd. BN7	33 F1	Waldshut Rd. BN7	32 B1
Droveway. BN3	30 D2	Clare Rd. BN7	32 C2	Monks La. BN7	32 D5	Wallands Cres. BN7	32 D3
d Av. BN3	30 D6	Cleve Ter. BN7	32 D5	Monks Way. BN7	33 E1	Walwers La. BN7	33 E4
rn Hill Clo. BN3	30 A1	Cliffe High St. BN7	33 F3	Montacute Rd. BN7	32 A5	Warren Clo. BN7	32 C4
ury Rd. BN3	30 D5	Cluny St. BN7	32 D5	Morley Clo. BN7	32 D5	Warren Dri. BN7	32 C4
n Rd. BN3	30 B5	Cockshut Rd. BN7	32 D5	Morris Rd. BN7	33 F4	Watergate La. BN7	33 E4
gdean Rd. BN3	30 D1	Coombe Rd. BN7	33 F2	Mount Harry Rd. BN7	32 B2	Waterloo Pl. BN7	33 E3
ance Clo. BN3	30 B3	Court Rd. BN7	33 F4	Mount Pl. BN7	32 C6	Weald Clo. BN7	32 D3
croft Rd. BN3	30 D2	Cranedown. BN7	32 C6	Mount Pleasant. BN7	32 E3	Wellhouse Pl. BN7	32 D4
or Clo. BN3	30 B2	Cranmer Clo. BN7	32 F2	Mount St. BN7	33 E5	Wellington St. BN7	33 E3
ance Gdns. BN3	30 C6	Crisp Rd. BN7	32 C1	Mountfield Rd. BN7	33 E5	West St. BN7	33 E3
ance Rd. BN3	30 C5	Cross Way. BN7	32 B3	Nevill Cres. BN7	32 B3	Western Rd. BN7	32 C4
tnor Villas. BN3	30 D5	Dale Rd. BN7	32 C5	Nevill Rd. BN7	32 B2	Westgate St. BN7	32 D4
oria Cotts. BN3	30 C6	Daveys La. BN7	33 F3	New Rd. BN7	33 E4	Wheatsheaf Gdns. BN7	33 G3
singham Rd. BN3	30 B6	De Grey Clo. BN7	33 F2	Newton Rd. BN7	32 D2	White Hill. BN7	32 D3
field Av. BN3	30 B3	De La Ware Rd. BN7	32 B5	North Ct. BN7	33 F3	Windover Cres. BN7	32 B2
ld Av. BN3	30 B3	De Montfort Rd. BN7	32 C4	North St. BN7	33 E3	Winterbourne Clo. BN7	32 B5
beck Av. BN3	30 A6	De Warrenne Rd. BN7	32 C3	North Way. BN7	32 B3	Winterbourne Hollow. BN7	32 C4
t Way. BN3	30 A2	Deanery Clo. BN7	33 F1	Offham Rd. BN7	32 B1	Winterbourne La. BN7	32 B5
tbourne Gdns. BN3	30 B5	Dorset Rd. BN7	33 E5	Old Malling Way. BN7	33 E1	Winterbourne Mews. BN7	32 C5
tbourne Pl. BN3	30 B6	Downs Clo. BN7	32 B2	Orchard Rd. BN7	33 G2		
tbourne St. BN3	30 B5	Downside. BN7	32 B4	Ousedale Clo. BN7	32 C4		
tbourne Villas. BN3	30 B6	Dunvan Clo. BN7	33 E1	Paddock La. BN7	32 D4		
tern Esplanade. BN3	30 A6	Earls Gdns. BN7	33 E3	Paddock Rd. BN7	32 D4	**MARESFIELD**	
ury Av. BN3	30 D4	East St. BN7	33 E3	Paines Twitten. BN7	33 E4		
ury Gdns. BN3	30 D4	Eastgate St. BN7	33 F3	Park Rd. BN7	32 D3		
dmill Clo. BN3	30 B1	Eastgate Wharf. BN7	33 F3	Peckham Clo. BN7	33 E1	Batts Bridge Rd. TN22	34 A2
h Rd. BN3	30 A6	Eastport La. BN7	33 E5	Pelham Ter. BN7	33 E3	Cobdown La. TN22	34 C2
dhouse Rd. BN3	30 A4	Eastway. BN7	32 A2	Pellbrook Rd. BN7	32 C1	Field End. TN22	34 A3
dland Av. BN3	30 C1	Edward St. BN7	33 E3	Phoenix Causeway. BN7	33 F3	London Rd. TN22	34 B2
dland Clo. BN3	30 C1	Eleanor Clo. BN7	32 D3	Phoenix Rd. BN7	33 E3	Maple Clo. TN22	34 A2
dland Dri. BN3	30 C2	Elm Gro. BN7	33 E4	Pinwell Rd. BN7	33 E4	Middle Dri. TN22	34 B1
druff Av. BN3	30 D2	English Passage. BN7	33 F3	Pipe Passage. BN7	32 D4	Millwood Clo. TN22	34 D3
dsworth St. BN3	30 B4	Eridge Green. BN7	32 C2	Potters La. BN7	32 D5	Millwood La. TN22	34 C2
ne Mews. BN3	30 B4	Evelyn Rd. BN7	32 C2	Prince Charles Rd. BN7	33 F1	Nursery La. TN22	34 B2
		Farncombe Rd. BN7	33 F4	Prince Edwards Rd. BN7	32 C3	Parklands. TN22	34 A2
		Ferrers Rd. BN7	32 C3	Priory Court. BN7	33 E5	Queens Dri. TN22	34 A2
ICKLESHAM		Firle Cres. BN7	32 A2	Priory Cres. BN7	33 E5	Robian Clo. TN22	34 B2
		Fisher St. BN7	33 E3	Priory St. BN7	33 E5	Straight Half Mile. TN22	34 B2
		Fitzgerald Rd. BN7	33 F1	Queen Anne Clo. BN7	32 D3	The Drive. TN22	34 A1
le Valley View. TN36	31 B2	Fitzjohn Rd. BN7	32 C3	Queens Rd. BN7	33 F1	The Paddock. TN22	34 B2
thurst Grn. TN36	31 B2	Fitzroy Rd. BN7	32 C1	Railway La. BN7	33 F4	Uckfield By-Pass. TN22	34 C3
e Fords. TN36	31 B2	Foundry La. BN7	33 F4	Riverdale. BN7	33 E2	Underhill. TN22	34 B2
e Fords Clo. TN36	31 B2	Friars Walk. BN7	33 F4	Rotten Row. BN7	32 D4		
el La. TN36	31 C3	Fuller Rd. BN7	32 C1	Rufus Clo. BN7	32 D3		
or Clo. TN36	31 A2	Garden St. BN7	33 E4	Russell Row. BN7	33 E1	**MAYFIELD**	
ot Clo. TN36	31 C2	Glebe Clo. BN7	32 B5	Sackville Clo. BN7	32 D3		
t House Field. TN36	31 C2	Godfrey Clo. BN7	33 E1	St Andrews La. BN7	33 E4		
t House La. TN36	31 C2	Grange Rd. BN7	32 D5	St Annes Cres. BN7	32 C4	Alexandra Rd. TN20	35 D1
onage La. TN36	31 C1	Green La. BN7	33 E4	St James St. BN7	32 D5	Ashley Gdns. TN20	35 B2
tree Field. TN36	31 C1	Green Wall. BN7	33 F3	St Johns Hill. BN7	33 E3	Dunstans Croft. TN20	35 D1
ermill La. TN36	31 A3	Greyfriars Ct. BN7	33 F4	St Johns St. BN7	33 E3	East St. TN20	35 D2
khouse La. TN36	31 D2	Gundreda Rd. BN7	32 C2	St Johns Ter. BN7	33 E3	Fletching St. TN20	35 C2
		Ham La. BN7	33 F5	St Martins La. BN7	33 E4	High St. TN20	35 B2
		Hamsey Cres. BN7	32 B2	St Michaels Ter. BN7	32 E2	Knowle Hill. TN20	35 B3
LEWES		Harvard Clo. BN7	33 E1	St Nicholas La. BN7	33 E4	Knowle Park. TN20	35 B3
		Harveys Way. BN7	33 F3	St Pancras Gdns. BN7	32 D5	Little Trodgers La. TN20	35 C1
		Hawkenbury Way. BN7	32 B3	St Pancras Rd. BN7	32 D5	Love La. TN20	35 A2
rgavenny Rd. BN7	32 C3	Hayward Rd. BN7	32 C1	St Peters St. BN7	32 D4	Loxfield Clo. TN20	35 B3
ager Pl. BN7	33 E3	Hereward Way. BN7	33 F2	St Swithuns La. BN7	33 E4	Mayfield By-Pass. TN20	35 A3
on St. BN7	33 E3	High St. BN7	32 D4	St Swithuns Ter. BN7	33 E4	Mayfield Clo. TN20	35 A2
es Path. BN7	32 D5	Highdown Rd. BN7	32 B2	School Hill. BN7	33 E4	Old La. TN20	35 B2
och St. BN7	32 D4	Hill Rd. BN7	32 B2	Seagrave Clo. BN7	32 C3	Richmead Gdns. TN20	35 B2
ndel Green. BN7	32 D2	Hillyfield. BN7	32 C5	Sheep Fair. BN7	32 B2	Roselands Av. TN20	35 A3
s Hatch Clo. BN7	32 B5	Hoopers Clo. BN7	33 E1	Shelley Clo. BN7	32 C3	Rotherfield La. TN20	35 A1
		Horsfield Rd. BN7	32 C1	South Downs Rd. BN7	33 F2	Rothermead. TN20	35 A3
		Houndean Clo. BN7	32 B4	South St. BN7	33 G4	South St. TN20	35 B2
		Houndean Rise. BN7	32 A5	South Way. BN7	32 B3	Southmead Clo. TN20	35 D1
				Southcliffe. BN7	33 G4		

63

Station App. TN20 — 35 A2
Station Rd. TN20 — 35 A2
Stone Cross. TN20 — 35 A3
The Avenue. TN20 — 35 C2
The Glade. TN20 — 35 B2
The Warren. TN20 — 35 D2
Vale Rd. TN20 — 35 C2
Victoria Rd. TN20 — 35 A2
West St. TN20 — 35 B3
Woolbridges Rd. TN20 — 35 A2

NEWHAVEN

Acacia Rd. BN9 — 37 E1
Anderson Clo. BN9 — 36 B4
Anthony Clo. BN9 — 37 H5
Arundel Clo. BN9 — 37 F2
Ash Walk. BN9 — 36 C4
Avis Clo. BN9 — 37 E2
Avis Rd. BN9 — 37 E2
Avis Way. BN9 — 37 E2
Baker St. BN9 — 37 E4
Bay Vue Rd. BN9 — 36 D4
Beach Clo. BN9 — 37 E5
Beach Rd. BN9 — 37 E4
Beresford Rd. BN9 — 37 E2
Bishopstone Rd. BN9 — 37 H6
Blakeney Av. BN9 — 36 A5
Brands Clo. BN9 — 37 E1
Brazen Clo. BN9 — 36 B4
Bridge St. BN9 — 36 D4
Brighton Rd. BN9 — 36 A5
Brookes Clo. BN9 — 36 D5
Brookside. BN9 — 36 B1
Bush Rd. BN9 — 36 B3
Cantercrow Hill. BN9 — 37 F1
Chapel St. BN9 — 36 D4
Charlston Av. BN9 — 36 B6
Chene Av. BN9 — 36 A5
Chestnut Way. BN9 — 36 B4
Church Hill. BN9 — 36 C5
Claremont Rd. BN9 — 37 F2
Clifton Rd. BN9 — 37 E4
Cornelius Av. BN9 — 36 B6
Cottage Clo. BN9 — 37 E2
Court Farm Clo. BN9 — 36 B1
Court Farm Rd. BN9 — 36 C6
Crest Rd. BN9 — 37 F2
Cresta Rd. BN9 — 36 A5
Cuckmere Rd. BN9 — 36 B6
Dacre Rd. BN9 — 36 D4
Denton Dri. BN9 — 37 E2
Denton Rise. BN9 — 37 E1
Denton Road. BN9 — 37 E2
Drove Rd. BN9 — 37 E3
Eastbridge Rd. BN9 — 37 E4
Edwards Clo. BN9 — 37 H5
Elizabeth Clo. BN9 — 37 G4
Elm Ct. BN9 — 36 C4
Elphick Rd. BN9 — 36 C3
Estate Rd. BN9 — 37 E4
Evelyn Av. BN9 — 36 C4
Fairholme Rd. BN9 — 37 F2
Falaise Rd. BN9 — 37 F2
Firle Cres. BN9 — 37 E2
First Av. BN9 — 36 C5
Fort Gate. BN9 — 37 E6
Fort Rd. BN9 — 36 D4
Freeland Clo. BN9 — 37 H4
Fullwood Av. BN9 — 36 C4
Gardeners Hill. BN9 — 37 G1
Geneva Rd. BN9 — 36 D5
Gibbon Rd. BN9 — 36 C5
Gleneagles Clo. BN9 — 37 G5
Glynde Clo. BN9 — 37 E2
Hampden Gdns. BN9 — 37 E1
Hanover Clo. BN9 — 37 H5
Hanson Rd. BN9 — 36 C5
Harbour View Clo. BN9 — 37 H5
Harbour View Rd. BN9 — 36 C6
Harfield Clo. BN9 — 37 F1
Harpers Rd. BN9 — 36 C4
Hawthorn Clo. BN9 — 36 B4
Heighton Cres. BN9 — 37 E1
Heighton Rd. BN9 — 37 E1
High St. BN9 — 36 D4
Hill Crest Rd. BN9 — 36 D5
Hill Rise. BN9 — 37 F2
Hill Road,
 Peacehaven Heights. BN9 — 36 A6
Hill Road,
 South Heighton. BN9 — 37 F2
Hill Side. BN9 — 36 D4
Hoathdown Av. BN9 — 36 B4
Holmdale Rd. BN9 — 37 G2
Holmes Clo. BN9 — 37 G5
Howey Clo. BN9 — 37 F2

Hurdis Rd. BN9 — 37 G5
Iford Clo. BN9 — 37 E2
INDUSTRIAL ESTATES:
 Avis Way Ind Est. BN9 — 37 E3
Iveagh Cres. BN9 — 37 E2
Jackson Mews. BN9 — 36 C4
Kennedy Way. BN9 — 36 C4
Kings Av. BN9 — 37 F2
Lapierre Rd. BN9 — 36 C4
Lawes Av. BN9 — 36 C4
Lee Way. BN9 — 36 C3
Lewes Rd. BN9 — 36 B1
Lewis Clo. BN9 — 37 F1
Lewry Clo. BN9 — 36 B5
Links Av. BN9 — 36 A4
Lower Pl. BN9 — 36 D4
Maple Leaf Clo. BN9 — 36 B4
Maple Rd. BN9 — 36 A5
Marine Dri. BN9 — 37 G5
Marine View. BN9 — 36 B5
Marshall La. BN9 — 36 D4
Meeching Rise. BN9 — 36 D4
Meeching Road. BN9 — 36 D4
Metcalfe Av. BN9 — 36 C3
Mill Drove. BN9 — 37 G6
Mount Clo. BN9 — 37 F3
Mount Pleasant Rd. BN9 — 37 G1
Mount Rd. BN9 — 37 F3
Murray Av. BN9 — 36 C4
Neills Clo. BN9 — 36 D4
New Rd. BN9 — 36 D1
Newfield La. BN9 — 36 C4
Newfield Rd. BN9 — 36 C4
Nore Rd. BN9 — 36 B5
Norman Clo. BN9 — 37 H5
Norman Rd. BN9 — 36 D4
North La. BN9 — 36 D4
North Quay Rd. BN9 — 36 D3
North Way. BN9 — 36 D4
Northdown Clo. BN9 — 36 C5
Northdown Rd. BN9 — 36 C5
Norton Rd. BN9 — 37 E4
Norton Ter. BN9 — 37 E4
Outlook Av. BN9 — 36 A5
Palmerston Rd. BN9 — 37 F2
Park Drive Clo. BN9 — 37 F1
Park Rd. BN9 — 36 A6
Pegler Av. BN9 — 36 B5
Pevensey Rd. BN9 — 36 B6
Pine Tree Clo. BN9 — 36 D4
Powell Gdns. BN9 — 37 E2
Quarry Rd. BN9 — 36 D6
Railway App. BN9 — 37 E3
Railway Rd. BN9 — 37 E4
Rectory Clo. BN9 — 36 C5
Rectory Rd. BN9 — 37 E1
Ringmer Rd. BN9 — 36 B5
Riverside. BN9 — 36 D4
Robinson Rd. BN9 — 36 C3
Rochford Way. BN9 — 37 H5
Roman Clo. BN9 — 37 H5
Rookery Clo. BN9 — 37 F1
Rookery Way,
 Bishopstone. BN9 — 37 H6
Rookery Way
 South Heighton. BN9 — 37 F1
Rose Walk Clo. BN9 — 36 C4
Rosemount Clo. BN9 — 37 G5
Rothwell Ct. BN9 — 36 B4
St Andrews Dri. BN9 — 37 G5
St Leonards Clo. BN9 — 37 F1
St Leonards Rd. BN9 — 37 F1
St Margarets Rise. BN9 — 37 G5
St Martins Cres. BN9 — 37 E2
Saxon Rd. BN9 — 36 D4
Seaford Rd. BN9 — 37 F3
Seagrave Clo. BN9 — 37 G5
Seaview Av. BN9 — 36 C4
Second Av. BN9 — 37 F2
Senlac Rd. BN9 — 36 D4
Ship St. BN9 — 36 C3
South Rd. BN9 — 36 D4
South Way. BN9 — 36 D4
Southdown Clo. BN9 — 36 B5
Southdown Rd. BN9 — 36 C5
Station Rd. BN9 — 37 F2
Tarring Rd. BN9 — 37 E2
The Cloisters. BN9 — 36 D4
The Close. BN9 — 37 F1
The Crescent. BN9 — 37 F2
The Drive. BN9 — 36 C6
The Drove. BN9 — 37 E3
The Fairway. BN9 — 36 B4
The Grove. BN9 — 37 E1
The Highway. BN9 — 36 A5
The Leas. BN9 — 36 A6
The Rose Walk. BN9 — 36 C4
Third Av. BN9 — 36 C5
Thompson Rd. BN9 — 37 F1
Transit Rd. BN9 — 37 E4

Troon Clo. BN9 — 37 G5
Upper Valley Rd. BN9 — 36 B5
Valley Clo. BN9 — 36 C3
Valley Dene. BN9 — 36 C4
Valley Rd. BN9 — 36 B4
Viking Clo. BN9 — 37 H5
Wellington Rd. BN9 — 37 F1
West Quay. BN9 — 36 D5
Westdean Av. BN9 — 36 B6
Western Rd. BN9 — 36 C5
Willow Walk. BN9 — 36 C3
Wilmington Rd. BN9 — 36 B5
Windsor Clo. BN9 — 37 H5

NEWICK

Allington Cres. BN8 — 38 C2
Allington Rd. BN8 — 38 B2
Baden Clo. BN8 — 38 C2
Bannisters Field. BN8 — 38 D2
Blind La. BN8 — 38 D2
Church Rd. BN8 — 38 D2
Coldharbour La. BN8 — 38 A1
Cricketfield. BN8 — 38 C1
Godden Rd. BN8 — 38 C1
Goldbridge Rd. BN8 — 38 D1
Great Rough. BN8 — 38 A2
Growers End. BN8 — 38 C1
Harmers Hill. BN8 — 38 B1
High Hurst Clo. BN8 — 38 C2
High St. BN8 — 38 D1
Jackies La. BN8 — 38 A1
Langridges Clo. BN8 — 38 C2
Leveller End. BN8 — 38 C1
Leveller Rd. BN8 — 38 C1
Lower Station Rd. BN8 — 38 A2
Marbles Rd. BN8 — 38 D1
Millfield Clo. BN8 — 38 C2
Newick Dri. BN8 — 38 C1
Newick Hill. BN8 — 38 C1
Newlands Park Way. BN8 — 38 C1
Oldaker Rd. BN8 — 38 C1
Paynters Way. BN8 — 38 C1
Powell Rd. BN8 — 38 C2
South Rough. BN8 — 38 C2
Station Rd. BN8 — 38 A2
The Green. BN8 — 38 D1
The Rough. BN8 — 38 C2
Vernons Rd. BN8 — 38 C1
West Point. BN8 — 38 C2
Western Rd. BN8 — 38 B2
Woodbine La. BN8 — 38 C1

NORTHIAM

Beacon La. TN31 — 38 A5
Beales La. TN31 — 38 B5
Cavix Field. TN31 — 38 B5
Chapel Field. TN31 — 38 A5
Church La. TN31 — 38 C6
Coplands Rise. TN31 — 38 B4
Coppards La. TN31 — 38 C3
Crockers La. TN31 — 38 B3
Dixter La. TN31 — 38 A5
Dixter Rd. TN31 — 38 A5
Ewhurst La. TN31 — 38 A6
Frewen Clo. TN31 — 38 B5
Ghyllside Rd. TN31 — 38 B4
Goddens Clo. TN31 — 38 C4
Goddens Ghyll. TN31 — 38 B5
Higham La. TN31 — 38 A5
High Mdw. TN31 — 38 B5
High Park Clo. TN31 — 38 A5
Main St. TN31 — 38 B6
Monks Way. TN31 — 38 B4
Northridge. TN31 — 38 B5
Quickbourne La. TN31 — 38 C5
Spring Hill. TN31 — 38 B5
Station Rd. TN31 — 38 B5
Strawberry Fields. TN31 — 38 B5
The Paddock. TN31 — 38 B5
Thyssel La. TN31 — 38 B5
Whitbread La. TN31 — 38 D3
Wilderness Gdns. TN31 — 38 B5

PEACEHAVEN

Abbey Clo. BN10 — 39 B3
Abbey Vw. BN10 — 39 B3
Ambleside Av. BN10 — 39 A3
Anzac Clo. BN10 — 39 B2

Arundel Rd. BN10 — 39
Arundel Rd Central. BN10 — 39
Arundel Rd West. BN10 — 39
Ashington Gdns. BN10 — 39
Ashmore Clo. BN10 — 39
Badgers Field. BN10 — 39
Balcombe Rd. BN10 — 39
Barley Clo. BN10 — 39
Bayview Rd. BN10 — 39
Bee Rd. BN10 — 39
Bolney Av. BN10 — 39
Bramber Av. BN10 — 39
Bramber Av Nth. BN10 — 39
Bramber Clo. BN10 — 39
Bretts Field. BN10 — 39
Cairo Av. BN10 — 39
Canada Clo. BN10 — 39
Capel Av. BN10 — 39
Carey Down. BN10 — 39
Cavell Av. BN10 — 39
Cavell Av Nth. BN10 — 39
Cavendish Clo. BN10 — 39
Chatsworth Park. BN10 — 39
Chichester Clo. BN10 — 39
Cinquefoil. BN10 — 39
Cissbury Av. BN10 — 39
Cliff Av. BN10 — 39
Cliff Park Clo. BN10 — 39
Collingwood Clo. BN10 — 39
Coney Furlong. BN10 — 39
Cornwall Av. BN10 — 39
Cripps Av. BN10 — 39
Crocks Dean. BN10 — 39
Damon Clo. BN10 — 39
Dorothy Av. BN10 — 39
Dorothy Av Nth. BN10 — 39
Downland Av. BN10 — 39
Downs Walk. BN10 — 39
Downs Way. BN10 — 39
Edith Av. BN10 — 39
Eith Av Nth. BN10 — 39
Firle Rd. BN10 — 39
Fox Hill. BN10 — 39
Friars Av. BN10 — 39
Gladys Av. BN10 — 39
Glynn Rise. BN10 — 39
Glynn Rd. BN10 — 39
Glynn Rd West. BN10 — 39
Gold La. BN10 — 39
Green Gate. BN10 — 39
Greenacres. BN10 — 39
Greenhill Way. BN10 — 39
Greenwich Way. BN10 — 39
Hairpin Croft. BN10 — 39
Harvest Clo. BN10 — 39
Headland Clo. BN10 — 39
Heath Down Clo. BN10 — 39
Heathy Brow. BN10 — 39
Highsted Park. BN10 — 39
Hoddern Av. BN10 — 39
Horsham Av. BN10 — 39
Horsham Av Nth. BN10 — 39
Hoyle Rd. BN10 — 39
Jason Clo. BN10 — 39
Jay Rd. BN10 — 39
Johns Clo. BN10 — 39
Keymer Av. BN10 — 39
Kirby Dri. BN10 — 39
Lake Dri. BN10 — 39
Lea Rd. BN10 — 39
Linthouse Clo. BN10 — 39
Lulham Clo. BN10 — 39
Malines Av. BN10 — 39
Manor Dri. BN10 — 39
Mayfield Av. BN10 — 39
Mitchell Dean. BN10 — 39
More Stead. BN10 — 39
Mount Caburn Cres. BN10 — 39
Neville Rd. BN10 — 39
Newton Rd. BN10 — 39
Oval Clo. BN10 — 39
Pelham Clo. BN10 — 39
Pelham Rise. BN10 — 39
Phyllis Av. BN10 — 39
Piddinghoe Av. BN10 — 39
Piddinghoe Clo. BN10 — 39
Rayford Clo. BN10 — 39
Roderick Av. BN10 — 39
Roderick Av Nth. BN10 — 39
Rosemary Clo. BN10 — 39
Roundhay Av. BN10 — 39
Rowe Av. BN10 — 39
Rowe Av Nth. BN10 — 39
Rustic Clo. BN10 — 39
Rustic Pk. BN10 — 39
Rustic Rd. BN10 — 39
Searle Av. BN10 — 39
Seaview Av. BN10 — 39
Seaview Rd. BN10 — 39
Shannon Clo. BN10 — 39

pherds Cot. BN10   39 C2
line Vw. BN10   39 C2
don Av. BN10   39 B6
th Coast Rd. BN10   39 A5
thdown Av. BN10   39 C6
thview Rd. BN10   39 B4
nley Rd. BN10   39 A2
yning Av. BN10   39 B5
aset Clo. BN10   39 A2
-view. BN10   39 C6
on Av. BN10   39 A4
on Av Nth. BN10   39 A4
anee Clo. BN10   39 C2
scombe Pk. BN10   39 B2
scombe Rd. BN10   39 A2
Bricky. BN10   39 B3
Cedars. BN10   39 B3
Compts. BN10   39 A2
Dew Pond. BN10   39 A3
Lookout. BN10   39 B1
Martins. BN10   39 A2
Promenade. BN10   39 A5
Ridings. BN10   39 A2
Sheepfold. BN10   39 B3
Sparrows. BN10   39 B3
gate. BN10   39 A3
BN10   39 B2
Rd West. BN10   39 A2
falgar Clo. BN10   39 B3
npike Clo. BN10   39 B3
ey Rd. BN10   39 B1
non Av. BN10   39 C6
oria Av. BN10   39 B6
w Rd. BN10   39 B4
terford Clo. BN10   39 B2
llington Rd. BN10   39 D6
ndale Dri. BN10   39 C2
eatlands Clo. BN10   39 A2
odlands Clo. BN10   39 A3
k Rd. BN10   39 D6

PEVENSEY, PEVENSEY BAY & WESTHAM

ndel Clo. BN24   41 G3
Gro. BN24   40 A3
tle Rd. BN24   40 A3
Av. BN24   41 F4
Rd. BN24   41 F5
achlands Way. BN24   41 H3
ndon Clo. BN24   40 A5
dge End. BN24   40 D3
ten Clo. BN24   40 A6
okland Clo. BN24   41 G3
on Walk. BN24   40 A6
nber Clo. BN24   41 G3
nber Dri. BN24   41 G3
nber Way. BN24   41 G3
tle Dri. BN24   41 E5
tle Rd. BN24   40 C3
tle Ross Rd. BN24   41 E5
tle View Gdns. BN24   40 A3
annel View Rd. BN24   41 F4
urch Av. BN24   40 C3
urch Bailey. BN24   40 C4
urch La. BN24   40 D3
ast Rd. BN24   41 F4
oald Rd. BN24   41 G4
lier Rd. BN24   41 F5
kens Way. BN24   40 A6
yden Walk. BN24   40 A6
stbourne Av. BN24   41 F4
stbourne Rd,
Pevensey Bay. BN24   41 E5
stbourne Rd,
Westham. BN24   40 A5
ar Way. BN24   40 A6
lows Clo. BN24   40 A3
lows La. BN24   40 A3
dsmith Clo. BN24   40 A6
gory La. BN24   40 B4
nville Rd. BN24   41 E5
nkham Hall Rd. BN24   40 A3
old Clo. BN24   41 H3
ven Clo. BN24   41 G3
e Hollow. BN24   40 A6
h St, Pevensey. BN24   40 D3
h St, Pevensey Bay. BN24   41 F5
oney Rise. BN24   40 B4
USTRIAL ESTATES:
ountney Gdns Business Pk.
BN24   40 B4
otts Marsh Ind Est. BN24   40 B5
ings Dri. BN24   41 E5
nbert Rd. BN24   40 A6
land Rd. BN24   41 E5

Maresfield Dri. BN24   41 G3
Marine Av. BN24   41 H3
Marine Clo. BN24   41 H3
Marine Rd. BN24   41 F4
Marine Ter. BN24   41 F4
Marlborough Clo. BN24   40 A6
Marsh Rd. BN24   41 E2
Millward Rd. BN24   41 E6
Montague Way. BN24   40 B4
Montford Clo. BN24   40 B3
Montford Rd. BN24   40 B3
Mortain Rd. BN24   40 B3
Mountney Dri. BN24   41 G3
Norman Rd. BN24   41 E5
North Rd. BN24   41 E5
Oaklands. BN24   40 A3
Parry Clo. BN24   40 A6
Pebble Rd. BN24   41 G4
Peelings La. BN24   40 A3
Pelham Clo. BN24   40 B4
Pennine Way. BN24   40 A6
Pentland Clo. BN24   40 A6
Pevensey Bay Rd. BN24   40 D6
Pevensey Park Rd. BN24   40 B3
Priory Clo. BN24   41 F4
Priory La. BN24   40 B6
Priory Rd. BN24   40 A6
Richmond Rd. BN24   41 F4
Romans Way. BN24   40 A3
Rosetti Rd. BN24   41 E5
St Johns Dri. BN24   40 A3
St Nicholas Clo. BN24   40 D3
Sea Rd. BN24   41 F4
Seaville Dri. BN24   41 F4
South Clo. BN24   41 G3
Springfield Clo. BN24   40 B3
Stevenson Clo. BN24   40 A6
Sunset Clo. BN24   41 G3
Thackeray Clo. BN24   40 A6
The Beechings. BN24   41 E5
The Boulevard. BN24   41 G3
The Parade. BN24   41 F4
The Promenade. BN24   41 F5
The Rising. BN24   40 A6
The Square. BN24   41 G3
The Twitten. BN24   41 F4
Timberlaine Rd. BN24   41 E5
Tower Clo. BN24   41 H3
Val Prinseps Rd. BN24   41 E5
Wallsend Rd. BN24   40 D3
Walpole Walk. BN24   40 A6
Walton Clo. BN24   40 A6
Warminster Rd. BN24   41 F4
Waverley Gdns. BN24   41 F4
Western Rd. BN24   41 F5
Westham By-Pass. BN24   40 A2
Westham Rd. BN24   41 H3
Windmill Clo. BN24   40 B4

POLEGATE

Albert Pl. BN26   42 C2
Albert Rd. BN26   42 C2
Anderida Rd. BN26   42 D6
Bahram Rd. BN26   42 B3
Bailey Cres. BN26   42 D6
Barons Way. BN26   42 B4
Bay Tree La. BN26   42 C1
Bernhard Gdns. BN26   42 C3
Black Path Rd. BN26   42 C3
Brightling Rd. BN26   42 C4
Broad Rd. BN26   42 B6
Broad Vw Clo. BN26   42 C5
Brocks Ghyll. BN26   42 C6
Brook St. BN26   42 C3
Brookside Av. BN26   42 C3
Brown Jack Av. BN26   42 B3
Burnside. BN26   42 D3
Central Av. BN26   42 D3
Chestnut Rd. BN26   42 D3
Chiltern Ct. BN26   42 C2
Church Clo. BN26   42 C5
Church Rd. BN26   42 C3
Clement La. BN26   42 C4
Coppice Av. BN26   42 C5
Coppice Clo. BN26   42 C5
Cornmill Gdns. BN26   42 B5
Courtland Rd. BN26   42 D4
Cresta Clo. BN26   42 D2
Croft Clo. BN26   42 C5
Cross St. BN26   42 C3
Diplock Clo. BN26   42 C3
Dover Rd. BN26   42 D2
Downsvalley Rd. BN26   42 C5
Downsview Rd. BN26   42 B5
East Clo. BN26   42 D3
Eastbourne Rd. BN26   42 C4

Eastern Av. BN26   42 D3
Fairlight Clo. BN26   42 D3
Farmlands Av. BN26   42 C5
Farmlands Clo. BN26   42 C5
Farmlands Way. BN26   42 B4
Filching Clo. BN26   42 B6
Folkington Rd. BN26   42 A4
Freshwater Sq. BN26   42 D6
Gainsborough La. BN26   42 B3
Gilda Cres. BN26   42 C3
Glen Clo. BN26   42 B5
Golden Millar La. BN26   42 B3
Gorringe Clo. BN26   42 D6
Gorringe Dri. BN26   42 D6
Gorringe Valley Rd. BN26   42 C6
Gosford Way. BN26   42 C3
Greenleaf Gdns. BN26   42 C2
Grosvenor Clo. BN26   42 C4
Hailsham Rd. BN26   42 C2
Hamlands La. BN26   42 D6
Hazel Gro. BN26   42 C6
High St. BN26   42 C3
Hillary Clo. BN26   42 B4
Honeycrag Clo. BN26   42 C2
Honeywell Clo. BN26   42 B6
Huggets La. BN26   42 D6
Hyperion Av. BN26   42 A3
Jevington Rd. BN26   42 A6
Junction St. BN26   42 D3
Lancing Way. BN26   42 B5
Lewes Rd. BN26   42 A3
Malcolm Gdns. BN26   42 C2
Manor Way. BN26   42 D3
Maple Leaf Gdns. BN26   42 C1
Mayfair Clo. BN26   42 B5
Mill Clo. BN26   42 B5
Mill Way. BN26   42 B5
Millstream Gdns. BN26   42 B5
Mimosa Clo. BN26   42 C2
Minster Clo. BN26   42 C2
Mortimer Gdns. BN26   42 B5
New Rd. BN26   42 D3
North Clo. BN26   42 D2
Northern Av. BN26   42 D2
Northfield. BN26   42 B4
Nursery Clo. BN26   42 D3
Oaklands Clo. BN26   42 D3
Oakleaf Dri. BN26   42 C2
Old Dri. BN26   42 C3
Old Mill La. BN26   42 B6
Oldfield Av. BN26   42 C5
Oldfield Rd. BN26   42 C5
Otham Ct La. BN26   42 C1
Otteham Clo. BN26   42 D3
Oxendean Clo. BN26   42 D5
Oxendean Gdns. BN26   42 D5
Paddock Gdns. BN26   42 B5
Palma Clo. BN26   42 C2
Park Croft. BN26   42 C5
Pevensey Rd. BN26   42 D3
Polegate By-Pass. BN26   42 B1
Porters Way. BN26   42 D3
Rapsons Rd. BN26   42 C6
Reynolds Town La. BN26   42 B3
St Annes Rd. BN26   42 D6
St Johns Rd. BN26   42 C3
St Leonard Ter. BN26   42 C2
Sayerland La. BN26   42 C1
Sayerland Rd. BN26   42 C1
Scanlon Clo. BN26   42 D6
School La. BN26   42 C2
Seven Sisters Rd. BN26   42 D6
Short Brow Clo. BN26   42 D6
Southdown Av. BN26   42 C6
Southern Av. BN26   42 D3
Southfield. BN26   42 C4
Spur Rd. BN26   42 D4
Spurway Park. BN26   42 D4
Station Rd. BN26   42 C2
Sunstar La. BN26   42 A3
Tascombe Dri. BN26   42 C6
The Crescent. BN26   42 C6
The Dene. BN26   42 C6
The Grove. BN26   42 C6
The Mill Race. BN26   42 C5
The Paragon. BN26   42 B6
The Thatchings. BN26   42 C4
The Triangle. BN26   42 D6
Thurrock Clo. BN26   42 D6
Tott Yew Rd. BN26   42 D5
Victoria Clo. BN26   42 C2
Victoria Rd. BN26   42 C2
Walnut Walk. BN26   42 C3
Wannock Av. BN26   42 C6
Wannock Dri. BN26   42 C4
Wannock Gdns. BN26   42 B6
Wannock La. BN26   42 C6
Wannock Rd. BN26   42 B5
Water Mill Clo. BN26   42 C4
Went Hill Gdns. BN26   42 D6

West Clo. BN26   42 D2
Western Av. BN26   42 D3
Westfield Clo. BN26   42 D3
Westfield Ct. BN26   42 D2
Willingdon Ct. BN26   42 D6
Willow Downe Clo. BN26   42 C4
Willow Dri. BN26   42 C4
Windmill Pl. BN26   42 C4
Windmill Rd. BN26   42 D4
Windover Way. BN26   42 D6
Windsor Way. BN26   42 C2

PORTSLADE BY SEA

Abinger Rd. BN41   43 B3
Albion St. BN41   43 C5
Albion St, Fishersgate. BN41   43 A5
Aldrington Clo. BN3   43 D4
Anvil Clo. BN41   43 B1
Applesham Way. BN41   43 A2
Badger Clo. BN41   43 B1
Bampfield St. BN41   43 B4
Barnes Rd. BN41   43 B4
Basin Rd N. BN41   43 C5
Basin Rd S. BN41   43 A5
Beaconsfield Rd. BN41   43 B3
Bellingham Cres. BN3   43 D3
Benfield Clo. BN41   43 C3
Benfield Cres. BN41   43 C3
Benfield Way. BN41   43 C3
Blackthorn Clo. BN41   43 B1
Boundary Rd. BN41   43 C5
Brackenbury Clo. BN41   43 B1
Brambledean Rd. BN41   43 B5
Brasslands Dri. BN41   43 A2
Brittany Rd. BN3   43 D5
Buckler St. BN41   43 B4
Burlington Gdns. BN41   43 C2
Bush Farm Clo. BN41   43 C1
Bush Farm Dri. BN41   43 C1
Camden St. BN41   43 C5
Carlton Ter. BN41   43 C4
Chapel Pl. BN41   43 C5
Chapel Rd. BN41   43 B5
Chelston Av. BN3   43 D4
Church Rd. BN41   43 B4
Church St. BN41   43 C5
Clarence St. BN41   43 C5
Clarendon Pl. BN41   43 C5
Clover Way. BN41   43 B1
*Corporation Yd,
  Erroll Rd. BN3   43 C5
Crest Way. BN41   43 B1
Croft Dri. BN41   43 A1
Crown Rd. BN41   43 B3
Dale View. BN3   43 D2
Dale View Gdns. BN3   43 D2
Deacons Dri. BN41   43 C2
Dean Clo. BN41   43 C2
Dean Gdns. BN41   43 C1
Denmark Rd. BN41   43 C4
Derek Av. BN3   43 D5
Dorothy Rd. BN3   43 D3
Downlands Ct. BN41   43 A2
Downsview Rd. BN41   43 B1
Drove Cres. BN41   43 A1
Drove Rd. BN41   43 A2
Drovers Clo. BN41   43 C1
East St. BN41   43 C5
Eastbrook Rd. BN41   43 B4
Eastbrook Way. BN41   43 A4
Easthill Dri. BN41   43 B2
Easthill Way. BN41   43 B2
Edgehill Way. BN41   43 A1
Elder Clo. BN41   43 B1
Egmont Rd. BN3   43 D3
Ellen St. BN3   43 C5
Elm Rd. BN41   43 B4
*Erroll Ct,
  Erroll Rd. BN3   43 C5
*Erroll Mansions,
  Erroll Rd. BN3   43 C5
Fairfield Gdns. BN41   43 B2
Fairway Cres. BN41   43 C2
Farm Clo. BN41   43 B1
Farm Way. BN42   43 A4
Farmway Clo. BN3   43 D2
Fishersgate Ter. BN41   43 A5
Flint Clo. BN41   43 B1
Florence Av. BN3   43 D3
Foredown Clo. BN41   43 C2
Foredown Dri. BN41   43 C2
Foredown Rd. BN41   43 B2
Forge Clo. BN41   43 B1
Fox Way. BN41   43 B1
Franklin Rd. BN41   43 C4

65

Freemans Rd. BN41 43 B3
Gardener St. BN41 43 B4
Gardens Clo. BN41 43 C3
Gardner Rd. BN41 43 A5
George St. BN41 43 C5
George St, Fishersgate. BN41 43 B5
Gladstone Rd. BN41 43 B4
Gladys Rd. BN3 43 D3
Glastonbury Rd. BN3 43 D5
Glebe Villas. BN3 43 D4
Gleton Av. BN3 43 D1
Godwin Rd. BN3 43 D3
Gordon Rd, Fishersgate. BN41 43 B5
Gordon Rd. BN41 43 C4
Greenleas. BN3 43 D2
Hadrian Av. BN42 43 A3
Hallyburton Rd. BN3 43 D2
Hangleton Clo. BN3 43 D2
Hangleton Gdns. BN3 43 D2
Hangleton La. BN3 43 C1
Hangleton Link Rd. BN41 43 C1
Hangleton Manor Clo. BN3 43 D1
Hangleton Rd. BN3 43 D3
Hangleton Valley Dri. BN3 43 C1
Hangleton Way. BN3 43 D2
Hawthorn Way. BN41 43 A1
Hayes Clo. BN41 43 C3
Hazel Clo. BN41 43 C1
Helena Clo. BN41 43 C2
Henge Way. BN41 43 B1
High Clo. BN41 43 A2
High St. BN41 43 A2
Highdown Clo. BN42 43 A2
Highlands Rd. BN41 43 B3
Highways. BN41 43 B2
Hillside. BN41 43 C2
Hove Seaside Villas. BN3 43 D6
Hurst Cres. BN41 43 B3
Jubilee Rd. BN41 43 B4
Kenton Rd. BN3 43 D5
Kingsway. BN3 43 C5
Knoll Clo. BN3 43 D2
Langridge Dri. BN41 43 B1
Leicester Villas. BN3 43 D4
Leyland Rd. BN41 43 A5
Lincoln Rd. BN41 43 B4
Links Clo. BN41 43 C4
Links Rd. BN41 43 C4
Locks Cres. BN41 43 B3
Locks Hill. BN41 43 B3
Lodge Clo. BN41 43 A2
Lucerne Clo. BN41 43 A1
Manor Clo. BN42 43 A4
Manor Hall Rd. BN42 43 A4
Manor Rd. BN41 43 B2
Maplehurst Rd. BN41 43 A3
Margery Rd. BN3 43 D3
Martin Rd. BN3 43 D2
Meadow Clo. BN41 43 B2
Meadow Clo. BN42 43 A4
Melrose Av. BN41 43 A3
Middle St. BN41 43 C5
Middleton Av. BN3 43 D5
Mile Oak Gdns. BN41 43 A2
Mile Oak Rd. BN41 43 A1
Mill La. BN41 43 B2
Mill Lane Clo. BN41 43 C2
Mill Rd. BN41 43 B5
Millcross Rd. BN41 43 C3
Mornington Cres. BN3 43 D5
New Barn Clo. BN41 43 C1
New Church Rd. BN3 43 C4
Newtimber Dri. BN41 43 A3
North Clo. BN41 43 A2
North Farm Cotts. BN41 43 A2
North La. BN41 43 A1
North Rd. BN41 43 A1
North St. BN41 43 C5
Northease Clo. BN3 43 D1
Northease Dri. BN3 43 D1
Norway St. BN41 43 C4
Old Barn Way. BN42 43 A4
Old Shoreham Rd. BN41 43 A3
Olive Rd. BN3 43 D4
Orchard Clo. BN42 43 A4
Park Clo. BN41 43 B3
Park Cres. BN41 43 A3
Parker Clo. BN41 43 B2
Portland Rd. BN3 43 D4
Portland Villas. BN3 43 D4
Prince Charles Clo. BN42 43 A3
Ridge Way. BN42 43 A2
Ridge Way Clo. BN42 43 A2
Roman Rd. BN3 43 D5
Romany Clo. BN41 43 B3
Rothbury Rd. BN3 43 D2
Rowan Clo. BN41 43 A2
St Andrews Rd. BN41 43 B5
St Aubyns Cres. BN41 43 B4
St Aubyns Rd,. BN41 43 C4

St Aubyns Rd,
  Fishersgate. BN41 43 B4
St Helens Dri. BN3 43 D1
St Keyna Av. BN3 43 D5
St Leonards Av. BN3 43 C5
St Leonards Gdns. BN3 43 D5
St Leonards Rd. BN3 43 C5
St Louie Rd. BN42 43 A3
St Michaels Rd. BN41 43 B5
St Nicholas Rd. BN41 43 B5
St Peters Rd. BN41 43 B5
St Richards Rd. BN41 43 B5
Saxon Rd. BN3 43 D5
Seaford Rd. BN3 43 C5
Sharpthorne Cres. BN41 43 C2
Sheepbell Clo. BN41 43 C1
Shelldale Av. BN41 43 B4
Shelldale Cres. BN41 43 B4
Shelldale Rd. BN41 43 B4
Sheppard Way. BN41 43 B1
Sherbourne Clo. BN3 43 D1
Sherbourne Rd. BN3 43 D1
Sidehill Dri. BN41 43 A2
South St. BN41 43 B2
Southdown Av. BN41 43 D1
Southdown Rd. BN41 43 A1
Spencer Av. BN3 43 D1
Springate Rd. BN42 43 A4
Stanley Rd. BN41 43 B3
Stapley Rd. BN3 43 D3
Station Rd. BN41 43 C5
Stonery Clo. BN41 43 A2
Stonery Rd. BN41 43 A2
Summer Clo. BN41 43 B4
Summerdale Rd. BN3 43 D1
Sycamore Clo. BN41 43 C1
Sylvester Way. BN41 43 C1
Symbister Rd. BN41 43 C4
Teg Clo. BN41 43 C1
The Crescent. BN42 43 A3
The Crossway. BN41 43 A1
The Dene. BN3 43 D1
The Gardens, Fishersgate. BN41 43 A5
The Gardens, Portslade. BN41 43 C3
The Meadows. BN3 43 D1
The Rise. BN41 43 A1
Thornbush Cres. BN41 43 C1
Trafalgar Rd. BN41 43 B3
Vale Gdns. BN41 43 B4
Vale Rd. BN41 43 B4
Valerie Clo. BN41 43 C2
Valley Rd. BN41 43 A1
Victoria Rd. BN41 43 B4
Warrior Clo. BN41 43 B1
Wellington Rd. BN41 43 B5
West Rd. BN41 43 A5
West St. BN41 43 C5
West Way. BN3 43 D1
Westbrook Way. BN41 43 A4
Western Esplanade. BN3 43 D6
Wharf Rd. BN3 43 D5
Wickhurst Clo. BN41 43 A1
Wickhurst Rise. BN41 43 A1
Wickhurst Rd. BN41 43 A1
Wilfrid Rd. BN3 43 D3
Williams Rd. BN41 43 B5
Windlesham Clo. BN41 43 A2
Wolseley Rd. BN41 43 B3
Worcester Villas. BN3 43 C4

RINGMER

Anchor Fld. BN8 44 B2
Ashton Ville Clo. BN8 44 A2
Ashurst Clo. BN8 44 A2
Ballard Dri. BN8 44 D1
Bishops Clo. BN8 44 B2
Bishops La. BN8 44 A1
Broyle Clo. BN8 44 D1
Broyle La. BN8 44 D2
Broyle Paddock. BN8 44 D1
Broyleside. BN8 44 D2
Chamberlaines La. BN8 44 A1
Christie Av. BN8 44 A1
Church Hill. BN8 44 A2
Delves Clo. BN8 44 A2
Delves Way. BN8 44 A2
Fairlight Fld. BN8 44 B3
Foxglove Clo. BN8 44 D1
Gote La. BN8 44 A3
Greater Paddock. BN8 44 B2
Green Clo. BN8 44 B2
Greenacres Dri. BN8 44 A1
Ham La. BN8 44 A1
Harrisons La. BN8 44 A3
Harvard Rd. BN8 44 A3
Hayes Clo. BN8 44 A3

Kiln Rd. BN8 44 D1
Langham Clo. BN8 44 A3
Laughton Rd. BN8 44 D2
Lewes Rd. BN8 44 A3
Little Paddock. BN8 44 B2
Manor Clo. BN8 44 D1
Mildmay Clo. BN8 44 A2
Mill Gdns. BN8 44 A3
Mill Mead. BN8 44 B3
Mill Rd. BN8 44 A3
Mill View. BN8 44 A3
Norlington Flds. BN8 44 A1
Norlington La. BN8 44 A1
North Rd. BN8 44 B2
Oakmede Way. BN8 44 A3
Potato La. BN8 44 B3
Potters Fld. BN8 44 B2
Rushy Clo. BN8 44 B3
Sadlers Way. BN8 44 A3
Shelley Rd. BN8 44 B2
Shepherds Clo. BN8 44 B3
Shepherds Way. BN8 44 B3
Springett Av. BN8 44 A3
The Broyle. BN8 44 D2
The Elms. BN8 44 A2
Turnpike Clo. BN8 44 D1
Vicarage Clo. BN8 44 A2
Vicarage Way. BN8 44 A2

ROBERTSBRIDGE

Andrews Clo. TN32 44 D4
Bellhurst Rd. TN32 44 B5
Bishops Croft. TN32 44 C6
Bishops La. TN32 44 B6
Blenheim Ct. TN32 44 C6
Brightling Rd. TN32 44 A6
Bugsell La. TN32 44 A5
Church Rd. TN32 44 D4
Coronation Cotts. TN32 44 D4
Fair La. TN32 44 D5
Fayre Meadow. TN32 44 D5
George Hill. TN32 44 D4
Glenleigh Walk. TN32 44 B5
Heathfield Gdns. TN32 44 C5
High St. TN32 44 C5
Kemps Way. TN32 44 D4
Knelle Rd. TN32 44 B5
Langham Rd. TN32 44 A5
Mill Rise. TN32 44 C6
Northbridge St. TN32 44 D4
Rotherview. TN32 44 D4
Rutley Clo. TN32 44 D4
Station Rd. TN32 44 C5
The Clappers. TN32 44 C5
Willowbank. TN32 44 C5
Willow Ms. TN32 44 C6

ROTTINGDEAN

Abbotsbury Clo. BN2 45 D6
Arundel Drive E. BN2 45 D6
Arundel Drive W. BN2 45 D6
Ashdown Av. BN2 45 C5
Bazehill Rd. BN2 45 B4
Bishopstone Dri. BN2 45 C4
Chailey Av. BN2 45 B5
Challoners Clo. BN2 45 B5
Challoners Mews. BN2 45 B5
Chichester Drive E. BN2 45 D6
Chichester Drive W. BN2 45 D6
Chiltington Way. BN2 45 D4
Chorley Av. BN2 45 C4
Court Farm Rd. BN2 45 A3
Court Ord Rd. BN2 45 A4
Cowley Dri. BN2 45 A1
Cranleigh Av. BN2 45 C5
Dean Clo. BN2 45 B5
Dean Court Rd. BN2 45 B5
Donnington Rd. BN2 45 A1
Effingham Clo. BN2 45 D4
Eileen Av. BN2 45 C6
Eley Cres. BN2 45 A3
Eley Dri. BN2 45 A3
Elvin Cres. BN2 45 A3
Falmer Av. BN2 45 A3
Falmer Rd. BN2 45 A2
Founthill Av. BN2 45 D5
Founthill Rd. BN2 45 C5
Foyles Clo. BN2 45 D5
Glyndebourne Av. BN2 45 D5
Gorham Av. BN2 45 B4
Gorham Clo. BN2 45 B4
Grand Crescent. BN2 45 C5

High St. BN2 4
Hill Rd. BN2 4
Knole Rd. BN2 4
Lenham Av. BN2 4
Lenham Rd E. BN2 4
Lenham Rd W. BN2 4
Lindfield Clo. BN2 4
Little Cres. BN2 4
Longhill Clo. BN2 4
Lustrells Clo. BN2 4
Lustrells Cres. BN2 4
Lustrells Rd. BN2 4
Lustrells Vale. BN2 4
Marine Clo. BN2 4
Marine Dri. BN2 4
Meadow Clo. BN2 4
Merston Clo. BN2 4
Nevill Rd. BN2 4
New Barn Rd. BN2 4
Newlands Rd. BN2 4
Northfield Rise. BN2 4
Northgate Clo. BN2 4
Old Place Mews. BN2 4
Park Cres. BN2 4
Park Rd. BN2 4
Ravenswood Dri. BN2 4
Romney Rd. BN2 4
Rowan Way. BN2 4
St Aubyns Mead. BN2 4
Salehurst Rd. BN2 4
Saltdean Dri. BN2 4
Saltdean Pk Rd. BN2 4
Saltdean Vale. BN2 4
Saxon Clo. BN2 4
School La. BN2 4
Sheep Walk. BN2 4
Steyning Rd. BN2 4
The Green. BN2 4
The Park. BN2 4
The Rotyngs. BN2 4
The Twitten. BN2 4
The Vale. BN2 4
Tremola Av. BN2 4
Tudor Clo. BN2 4
Tumulus Rd. BN2 4
Under Cliff Walk. BN2 4
Vicarage La. BN2 4
Vicarage Ter. BN2 4
Welesmere Rd. BN2 4
West St. BN2 4
Westmeston Av. BN2 4
Whipping Post La. BN2 4
Whiteway La. BN2 4
Wilkinson Clo. BN2 4
Winton Av. BN2 4
Wivelsfield Rd. BN2 4

RYE

Bedford Pl. TN31 4
Bridge Pl. TN31 4
Church Sq. TN31 4
Cinque Ports St. TN31 4
Conduit Hill. TN31 4
Cyprus Pl. TN31 4
Deadmans La. TN31 4
Eagle Rd. TN31 4
East St. TN31 4
Ferry Rd. TN31 4
Fishmarket Rd. TN31 4
High St. TN31 4
Hilders Cliff. TN31 4
Hylands Yd. TN31 4
Landgate. TN31 4
Landgate Sq. TN31 4
Lion St. TN31 4
Love La. TN31 4
Market Rd. TN31 4
Market St. TN31 4
Mermaid Pass. TN31 4
Mermaid St. TN31 4
Meryon Ct. TN31 4
Military Rd. TN31 4
New Rd. TN31 4
North Salts. TN31 4
Ockman La. TN31 4
Regent Sq. TN31 4
Rock Channel Quay. TN31 4
Rope Walk. TN31 4
Rope Walk Arcade. TN31 4
Rye Hill. TN31 4
St Margarets Ter. TN31 4
Shipyard La. TN31 4
South Undercliff. TN31 4
Station App. TN31 4
Strand. TN31 4
The Deals. TN31 4

Hartfield Rd. BN25 49 E4
Hastings Av. BN25 49 G2
Haven Brow. BN25 49 F3
Hawth Clo. BN25 48 B3
Hawth Cres. BN25 48 B3
Hawth Gro. BN25 48 B3
Hawth Hill. BN25 48 B3
Hawth Park Rd. BN25 48 B3
Hawth Pl. BN25 48 B3
Hawth Rise. BN25 48 B3
Hawth Way. BN25 48 C4
Hazeldene. BN25 49 F4
Headland Av. BN25 49 E5
Heathfield Rd. BN25 49 E5
High St. BN25 48 D5
Highlands Rd. BN25 49 E4
Hill Pk. BN25 49 F4
Hill Rise. BN25 48 B2
Hillside Av. BN25 49 G2
Hindover Cres. BN25 49 F4
Hindover Rd. BN25 49 F3
Holters Way. BN25 48 D2
Homefield Clo. BN25 48 D3
Homefield Rd. BN25 48 D3
Hurdis Rd. BN25 48 A1
Hythe Clo. BN25 49 H3
Hythe Cres. BN25 49 G3
Hythe View. BN25 49 H3
INDUSTRIAL ESTATES:
Cradle Hill Ind Est. BN25 49 G2
Isabel Clo. BN25 48 C2
Jevington Dri. BN25 48 B3
Jubilee Gdns. BN25 49 E2
Juniper Clo. BN25 49 G4
Kammond Av. BN25 49 G2
Katherine Way. BN25 48 C2
Kedale Rd. BN25 48 D3
Kimberley Rd. BN25 48 B4
Kings Ride. BN25 48 C3
Kingsmead. BN25 48 C3
Kingsmead Clo. BN25 48 D3
Kingsmead La. BN25 48 C3
Kingsmead Walk. BN25 48 D3
Kingsmead Way. BN25 48 D3
Kingston Av. BN25 49 G4
Kingston Clo. BN25 49 G5
Kingston Green. BN25 49 G4
Kingston Way. BN25 49 G4
Kingsway. BN25 48 C3
Ladycross Clo. BN25 49 G5
Lansdown Rd. BN25 49 G2
Lexden Ct. BN25 49 F3
Lexden Dri. BN25 49 F3
Lexden Rd. BN25 49 E1
Lindfield Av. BN25 49 H5
Links Clo. BN25 49 F5
Links Rd. BN25 49 F5
Lions Pl. BN25 49 E5
Lower Drive. BN25 49 E2
Lucinda Way. BN25 49 E2
Lullington Clo. BN25 49 G5
Mallett Clo. BN25 48 D5
Manor Clo. BN25 49 F4
Manor Rd. BN25 49 F4
Manor Rd Nth. BN25 49 G4
Marine Cres. BN25 48 D5
Marine Dri. BN25 48 A1
Marine Parade. BN25 48 A3
Mark Clo. BN25 49 H5
Martello Rd. BN25 48 D5
Mason Rd. BN25 49 E3
Maurice Rd. BN25 49 E6
May Av. BN25 49 G5
Meadow Way. BN25 49 F4
Meads Rd. BN25 49 E3
Mercread Rd. BN25 48 D5
Middle Furlong. BN25 49 E4
Mill Dri. BN25 49 E4
Millberg Rd. BN25 49 G3
Milldown Rd. BN25 49 E4
Millfield Clo. BN25 49 F3
Monarch Gdns. BN25 49 F2
Morningside Clo. BN25 49 E3
Newhaven Rd. BN25 48 A2
Newick Clo. BN25 49 G5
Norman Clo. BN25 48 A1
Normansal Clo. BN25 49 E1
Normansal Pk Av. BN25 49 E2
North Camp La. BN25 49 E3
North Way. BN25 49 E2
Northcliffe Clo. BN25 49 E3
Northfield Clo. BN25 48 D2
Offham Clo. BN25 49 E2
Park Rd. BN25 48 C4
Parkside Rd. BN25 49 E4
Pelham Rd. BN25 48 D5
Perth Clo. BN25 49 G4
Pevensey Clo. BN25 49 G3
Pinewood Clo. BN25 49 E3
Pitt Dri. BN25 49 E2

Place La. BN25 48 D5
Poynings Clo. BN25 49 G5
Princes Clo. BN25 48 D3
Princess Dri. BN25 48 B2
Quarry La. BN25 49 E3
Queens Park Gdns. BN25 48 B4
Queensway. BN25 49 F2
Raymond Clo. BN25 49 F2
Regents Clo. BN25 48 D3
Richington Way. BN25 49 F3
Richmond Rd. BN25 48 D5
Richmond Ter. BN25 48 D4
Ringmer Rd. BN25 48 D5
Rochford Way. BN25 48 A2
Rodmell Rd. BN25 49 G5
Roedean Clo. BN25 49 F3
Roman Clo. BN25 48 A1
Romney Clo. BN25 49 G4
Rookery Way. BN25 48 A2
Rose Walk. BN25 49 E3
Rother Rd. BN25 49 F5
Rough Brow. BN25 49 F3
Rowan Clo. BN25 49 G4
Royal Dri. BN25 48 D1
Rugby Clo. BN25 49 F3
Rye Clo. BN25 49 G3
St Andrews Dri. BN25 48 A1
St Crispians. BN25 48 C4
St Johns Rd. BN25 48 D5
St Peters Clo. BN25 48 D3
St Peters Rd. BN25 48 D3
St Wilfreds Pl. BN25 49 F5
Salisbury Rd. BN25 48 D4
Saltwood Rd. BN25 49 G3
Sandgate Clo. BN25 49 G3
Sandore Clo. BN25 49 F3
Sandore Rd. BN25 49 F3
Sandringham Clo. BN25 49 F2
Saxon La. BN25 48 D5
Seafield Clo. BN25 49 G2
Seagrove Way. BN25 49 E2
Sheep Pen La. BN25 49 F4
Sherwood Rise. BN25 49 E3
Sherwood Road. BN25 48 D3
Short Brow. BN25 49 E3
Silver La. BN25 48 B1
South St. BN25 48 D5
South Way. BN25 49 G6
Southdown Rd. BN25 49 G5
Sovereign Clo. BN25 49 E2
Stafford Rd. BN25 48 D4
Station App. BN25 48 C4
Station Rd. BN25 48 B3
Steyne Clo. BN25 49 E5
Steyne Rd. BN25 48 D5
Steyning Clo. BN25 49 H5
Steyning Rd. BN25 49 H5
Stirling Av. BN25 49 G4
Stirling Clo. BN25 49 G4
Stoke Clo. BN25 49 F4
Stoke Manor Clo. BN25 49 G4
Stonewood Clo. BN25 49 H4
Surrey Clo. BN25 48 C3
Surrey Rd. BN25 48 B3
Sutton Av. BN25 49 E5
Sutton Drove. BN25 49 E4
Sutton Park Rd. BN25 49 E4
Sutton Rd. BN25 49 D4
Suttoncroft La. BN25 49 E4
Sycamore Clo. BN25 49 H4
The Boundary. BN25 48 D5
The Bydown. BN25 49 F3
The Byeways. BN25 49 F3
The Causeway. BN25 48 D5
The Close. BN25 49 E5
The Covers. BN25 48 D5
The Holt. BN25 48 D2
The Mews. BN25 49 F3
The Peverels. BN25 49 F2
The Ridgeway. BN25 49 E3
The Ridings. BN25 49 E2
The Shepway. BN25 49 G3
Tudor Clo. BN25 48 C3
Upper Belgrave Rd. BN25 48 D3
Upper Chyngton Gdns. BN25 49 G3
Upper Sherwood Rd. BN25 48 D3
Vale Clo. BN25 49 F3
Vale Rd. BN25 49 E3
Valley Dri. BN25 49 F3
Valley Rise. BN25 49 E3
Vicarage Clo. BN25 49 E4
Victor Clo. BN25 48 C2
Viking Clo. BN25 48 A1
Walmer Rd. BN25 49 G4
Warwick Rd. BN25 48 D4
Wellington Pk. BN25 49 F5
West Dean Rise. BN25 49 F3
West St. BN25 48 D5
West View. BN25 48 D5
Westdown Rd. BN25 48 C4

Whiteway Clo. BN25 48 D1
Wilkinson Way. BN25 48 D3
Willow Dri. BN25 49 G4
Wilmington Rd. BN25 48 C4
Winchelsea Clo. BN25 49 G2
Windsor Clo. BN25 48 A1

TELSCOMBE/ SALTDEAN

Ambleside Av. BN10 50 D5
Amhurst Rd. BN10 50 C4
Ardingly Rd. BN2 50 A3
Arlington Gdns. BN2 50 A1
Arundel Rd West. BN10 50 D4
Ashurst Av. BN2 50 B3
Bannings Vale. BN2 50 B3
Berry Clo. BN10 50 D3
Berwick Rd. BN2 50 A1
Bevendean Av. BN2 50 A2
Brambletyne Av. BN2 50 A3
Bridleway. BN10 50 D3
Broomfield Av. BN10 50 C4
Buckhurst Rd. BN10 50 C4
Bush Clo. BN10 50 D3
Cairo Av. BN10 50 D5
Cairo Av S. BN10 50 D5
Central Av. BN10 50 D4
Chailey Cres. BN2 50 B3
Chatsworth Av. BN10 50 D2
Chatsworth Clo. BN10 50 D4
Chichester Dri. BN2 50 A3
Chiltington Clo. BN2 50 A2
Chiltington Way. BN2 50 A2
Cissbury Cres. BN2 50 B2
Cliff Gdns. BN10 50 C4
Clifton Way. BN10 50 D4
Coombe Mdw. BN2 50 B1
Coombe Rise. BN2 50 B1
Coombe Vale. BN2 50 B1
Cowden Av. BN2 50 A3
Crowborough Rd. BN2 50 A3
Edward Av. BN2 50 A1
Fairlight Av. BN10 50 C4
Findon Av. BN2 50 B2
Glynde Av. BN2 50 A2
Gorham Way. BN10 50 C4
Grassmere Av. BN10 50 C4
Greenbank Av. BN2 50 A2
Hailsham Av. BN2 50 A1
Hamsey Rd. BN2 50 A4
Hartfield Rd. BN2 50 B2
Hawthorn Clo. BN2 50 A2
Heathfield Av. BN2 50 A1
Hempstead Rd. BN2 50 A1
Highview Av. BN10 50 C4
Hilgrove Rd. BN2 50 A1
Homebush Av. BN2 50 A2
Ifield Clo. BN2 50 C2
Kirby Dri. BN10 50 D3
Lewes Clo. BN2 50 C2
Linchmere Av. BN2 50 A3
Lincoln Av. BN10 50 D5
Lincoln Av Sth. BN10 50 D5
Longridge Av. BN2 50 A3
Lustrells Cres. BN2 50 A1
Lynwood Rd. BN2 50 A1
Malines Av S. BN10 50 D5
Mount Dri. BN2 50 A3
Northcote La. BN10 50 D3
Northwood Av. BN2 50 B2
Nutley Av. BN2 50 A3
Oaklands Av. BN2 50 A2
Park Av. BN10 50 D3
Park View Clo. BN10 50 D3
Park View Rise. BN10 50 D3
Perry Hill. BN2 50 A1
Phyllis Av. BN10 50 D5
Ridgewood Av. BN2 50 A1
Rodmell Av. BN2 50 A2
Rye Clo. BN2 50 C2
St Laurence Clo. BN10 50 D3
St Peters Av. BN10 50 D4
Saltdean Vale. BN2 50 A2
Second Av. BN10 50 D5
Shepham Av. BN2 50 A2
South Coast Rd. BN2 50 A3
Springfield Av. BN10 50 C4
Stanmer Av. BN2 50 A1
Stanmer Av West. BN2 50 A1
Sussex Way. BN10 50 C5
Telscombe Cliffs Way. BN10 50 D5
Telscombe Rd. BN2 50 D1
The Esplanade. BN10 50 C5
The Promenade. BN10 50 D5
Third Rd. BN10 50 D5
Tumulus Rd. BN2 50 A1
Tye View. BN10 50 D3

Tyedean Rd. BN10 5
Vale Rd. BN2 5
Walesbeech Rd. BN2 5
Warren Way. BN10 5
Westfield Av. BN2 5
Westfield Av N. BN2 5
Westfield Av S. BN2 5
Westfield Rise. BN2 5
Wicklands Av. BN2 5
Withyham Av. BN2 5

TICEHURST

Acres Rise. TN5 5
Berners Hill. TN5 5
Church St. TN5 5
Cross La Gdns. TN5 5
Dale Hill. TN5 5
Farthing Hill. TN5 5
High St. TN5 5
Hillbury Av. TN5 5
Horsegrove. TN5 5
Lower Platts. TN5 5
Pashley Rd. TN5 5
Pickforde La. TN5 5
St Marys Clo. TN5 5
St Marys La. TN5 5
Springfields. TN5 5
Three Leg Cross. TN5 5
Tinkers La. TN5 5
Upper Platts. TN5 5
Vineyard La. TN5 5
Windy Field. TN5 5

UCKFIELD

Albert Rd. TN22 5
Alexandra Rd. TN22 5
Arun Path. TN22 5
Baker St. TN22 5
Barnett Way. TN22 52
Batchelor Way. TN22 52
Bedford Ct. TN22 52
Beeches Clo. TN22 52
Bell La. TN22 52
Belmont Rd. TN22 52
Birch Clo. TN22 5
Bird in Eye Hill. TN22 5
Bounds Way. TN22 5
Bramble Side. TN22 5
Bridge Farm Rd. TN22 52
Brookside. TN22 53
Browns Clo. TN22 52
Browns La. TN22 52
Browns Path. TN22 53
Bullfinch Gdns. TN22 53
Burling Way. TN22 52
Calvert Clo. TN22 52
Calvert Rd. TN22 52
Cambridge Way. TN22 52
Campbell Clo. TN22 52
Castle Rise. TN22 53
Castle Way. TN22 53
Cedars Clo. TN22 53
Chaffinch Wk. TN22 53
Church St. TN22 52
Church Wk. TN22 52
Claremont Rise. TN22 52
Copwood Av. TN22 52
Crown Clo. TN22 52
Cuckmere Path. TN22 52
Dene Path. TN22 52
Dove Ct. TN22 52
Downland Copse. TN22 52
Downsview Cres. TN22 52
Eagles Clo. TN22 52
Eastbourne Rd. TN22 53
Egles Gro. TN22 52
Ellis Way. TN22 52
Fairlight. TN22 52
Falmer Ct. TN22 52
Farriers Way. TN22 52
Firle Grn. TN22 52
Forge Clo. TN22 53
Forge Rise. TN22 52
Framfield Rd. TN22 53
Furnace Way. TN22 53
Goldcrest Dri. TN22 53
Grange Rd. TN22 53
Harcourt Clo. TN22 52
Harcourt Rd. TN22 52
Hart Clo. TN22 52
Hempstead Gdns. TN22 52
Hempstead La. TN22 52